GW00385000

VOUS AUREZ
DE MES NOUVELLES

Jean-Paul Dubois est né en 1950 à Toulouse, où il vit actuellement. Auteur de nombreux romans (*Je pense à autre chose, Si ce livre pouvait me rapprocher de toi*), d'un essai (*Éloge du gaucher*) et de récits de voyage (*L'Amérique m'inquiète*), il a obtenu le Grand Prix de l'humour noir pour *Vous aurez de mes nouvelles* (1991), le prix France Télévision pour *Kennedy et moi* (1996) et le prix Femina pour *Une vie française* (2004). Il est journaliste-reporter au *Nouvel Observateur*.

Jean-Paul Dubois

VOUS AUREZ
DE MES NOUVELLES

NOUVELLES

Éditions de l'Olivier

La première édition de cet ouvrage a paru
aux éditions Robert Laffont, en 1991

TEXTE INTÉGRAL

ISBN 978-2-7578-0012-6
(ISBN 2-221-07081-X, 1re publication)

A Jean-Baptiste Harang

« Alors j'ai mis mon pantalon, puis ma chemise et mes chaussures, j'ai éteint ma radio, je suis allé dans la cuisine où je rangeais toujours ma canne à pêche et je suis sorti avec elle dans la matinée tiède et brumeuse, passant pour une fois par la porte de derrière, m'éclipsant discrètement afin de ne voir personne et que personne ne me voie. »

Richard FORD.

JE CROIS QU'ON VA BIEN RIGOLER

Pourquoi fallait-il que cela tombe sur nous, pourquoi juste en ce moment. Anna était assise sur le fauteuil près de la fenêtre et buvait du vin. Je la regardais, debout, les mains croisées derrière le dos. Pendant que dehors les gens préparaient Noël et sillonnaient les rues comme des chenilles processionnaires, nous étions face à face, immobiles et silencieux, au milieu de ce salon dans lequel le soleil n'entrait jamais.

Je savais ce que pensait Anna. Elle pensait la même chose que moi. Elle pensait que la vie ne nous avait pas gâtés. Elle faisait tourner son verre entre ses doigts. Son visage pivota lentement vers moi mais ses yeux demeurèrent inclinés vers le bas :

— Qu'est-ce qu'on va faire ?
— Je ne sais pas.
— Tu crois qu'on peut le garder ?
— Je ne sais pas.

Pourquoi juste en ce moment et pourquoi nous ? C'est vrai qu'Anna avait arrêté la pilule mais on avait fait attention. On ne voulait pas d'enfant, ni elle ni moi. On était d'accord là-dessus. Nous n'avions jamais eu un domicile correct ni de travail stable, et chaque jour

11

qui se levait nous effrayait. Nous ne savions pas si nous nous aimions, nous demeurions ensemble.

— Je vais faire des courses au supermarché.

Anna se leva de son siège en s'appuyant sur les accoudoirs. Je l'ai vue traverser la pièce et j'ai pensé : « Cette femme-là est enceinte de toi. »

La voiture a mis du temps à démarrer puis, lentement, elle s'est éloignée dans les brouillards du tuyau d'échappement. Cette bagnole n'en avait plus pour longtemps, elle nous lâcherait bientôt.

Je m'allongeai sur le lit et allumai une cigarette. La fumée semblait attirée par l'abat-jour de la lampe de chevet. Elle ondulait autour comme une chevelure bleue.

Nous vivions dans une petite maison à la sortie de la ville. Une petite maison parmi d'autres. Nous possédions un jardin mais n'avions jamais eu les moyens d'acheter une tondeuse. Alors les herbes poussaient un peu partout et n'importe comment. En hiver, le devant de porte était en permanence boueux.

Si nous gardions l'enfant, nous serions obligés de rester ici et d'oublier nos envies de bougeotte. Nous serions condamnés à prendre racine entre les herbes folles et la gadoue. Je vivais avec Anna depuis deux ans. Tout ce temps nous avait glissé entre les doigts sans que nous ayons la moindre prise sur lui. Nous avions subi tous ces jours les uns après les autres, l'un près de l'autre. Le seul être vivant qui ait jamais partagé notre existence était un chien noir qu'Anna avait recueilli. Il était mort au bout d'un mois d'une piroplasmose. Anna avait dit que c'était à cause des hautes herbes, à cause de ces saloperies de tiques qui traînaient là-dedans. Elle avait peut-être raison.

Anna revint avec trois sacs pleins de victuailles. Il y avait aussi de la bière et des gâteaux.

— La voiture fume de plus en plus.

— J'ai vu.

— Le moteur est fichu ?

— Je crois bien.

— Comment on va faire ?

— Il faut mettre de l'huile jusqu'à ce qu'elle claque.

— Et après ?

— On verra.

On mangea en écoutant les nouvelles à la radio. Ça nous évitait de parler, de nous avouer ce qu'on ressentait au fond de notre cœur. Ensuite on a pris la voiture pour faire un tour en ville. Il y avait des guirlandes partout et toutes les vitrines des magasins étaient allumées. On roulait lentement au milieu de ces lueurs, on roulait en pensant que tôt ou tard il faudrait bien rentrer chez nous.

Dans le lit, Anna se pelotonna contre moi. Elle grelottait. Je la serrai dans mes bras. Son souffle me réchauffait la poitrine. Je sentais sa peau glisser entre mes doigts, sa peau douce comme du ruban de Noël. Ses mains froides m'ont caressé l'intérieur des cuisses puis elle a murmuré :

— Maintenant, au moins, on n'a plus besoin de faire attention.

J'ai souri dans le noir. Il n'y avait pas de quoi.

Le lendemain, nous sommes restés au lit. Rien ni personne ne nous attendait. On a traîné toute la matinée sous les couvertures. Vers treize heures, j'ai préparé du café et des toasts. Anna avait oublié d'acheter du jus d'orange. Je me suis habillé avant de m'installer sur le canapé du salon. Anna est venue m'y rejoindre.

— Je pense qu'on ne peut pas le garder. Avec la vie qu'on mène, on ne peut pas avoir un enfant.

— Une vie, ça se change.

— On n'a jamais vécu autrement. Tu pourrais élever un gosse, toi ? Te lever tous les matins et partir au travail ?

— Je l'ai fait.

— Tu as toujours tout plaqué. Tu ne tiens pas en place.

— Alors il n'y a qu'à faire comme tu dis.

— Tu vois, toi non plus tu ne veux pas le garder.

— Je ne sais pas ce que je veux. Quoi qu'on décide, ce sera difficile.

Le ciel ressemblait à une pelote de laine. On sentait que le froid poussait contre les vitres.

— On n'a jamais fait ramoner le tuyau de la chaudière depuis qu'on habite ici, a dit Anna.

— Il faudra y penser.

En fin d'après-midi, la mère d'Anna a téléphoné. Elles ont parlé toutes les deux pendant plus d'une demi-heure. Anna n'a fait aucune allusion à son état. J'en ai conclu qu'elle avait pris une décision. J'ai préparé le dîner et on est passés à table. La journée s'était écoulée sans que nous mettions un pied dehors. Elle avait raison. Ce n'était pas une existence à faire partager à un enfant.

Nous nous sommes réveillés de bonne heure. Anna était énervée. Elle a fait un peu de ménage dans la maison et, à neuf heures, elle était déjà douchée et habillée.

— Je vais à l'hôpital prendre rendez-vous.

— Tu es sûre ?

— Oui, j'y vais.

J'ai enfilé mon pantalon et, en glissant mes affaires de la veille dans la corbeille de linge sale, j'ai dit :
— Je t'accompagne.

Avec le froid, j'avais l'habitude. Ça ne servait à rien de soulever le capot et de mettre ses doigts dans le moteur. Au point où en était la voiture, le matin, il fallait la réveiller doucement en donnant de petits coups de démarreur. Il suffisait d'être patient.

On roulait lentement en essuyant régulièrement la buée sur le pare-brise. La commande de dégivrage était cassée. Je ne l'avais jamais remplacée.

Les gens entraient dans les bars et les magasins. On devinait qu'il faisait bon à l'intérieur. Tout le monde préparait Noël et notre pare-brise dégoulinait de condensation.

Une hôtesse nous fit asseoir dans un hall laqué de peinture orangée où patientaient d'autres personnes. Anna croisait les jambes. Elle était la seule à adopter cette position. Tout le monde gardait les pieds au sol, bien parallèles.

Le médecin n'avait pas d'âge. Il posait des questions à Anna et prenait distraitement des notes. Des histoires comme la nôtre, il devait en entendre toute la journée. J'ai regardé ses mains et j'ai pensé qu'elles connaissaient tout du chagrin et de la douleur des femmes. Je me tripotais les doigts. Je me demandais si la voiture redémarrerait.

De retour de la salle d'auscultation, Anna et le médecin m'ignorèrent. Comme si tout cela ne me concernait pas, comme si je n'avais rien à voir dans l'affaire. Ils parlaient entre eux de dates de règles, de col d'utérus rétroversé, de choses dont j'ignorais tout, qui ne m'avaient jamais fait souffrir.

Le gynécologue reconduisit Anna dans le couloir et lui tendit la main en disant : « A demain. »

Je n'arrivais pas à dormir. Je sentais près de moi les seins de ma femme. Je n'avais pas envie d'elle. Je pensais à son corps tel qu'il serait installé demain sur la table d'examen. Je pensais à ses jambes écartées, à ses pieds pris dans les étriers, à ses genoux pliés. Je pensais à ces instruments qui la pénétreraient, à ces lumières qui l'éclaireraient jusque dans son extrême nudité. Je pensais à cette souffrance à venir, au retour en voiture et à la buée froide sur le pare-brise. La nuit était calme. Il ne neigeait pas.

Cette fois, la batterie nous avait lâchés. Le temps était trop froid. A chaque coup de démarreur, le témoin lumineux de la charge s'éteignait.

— La voiture est en panne.

Anna attendait, habillée, dans la cuisine.

— Qu'est-ce qu'on va faire ?

— Je crois qu'il va falloir la pousser. Reste là. Je vais essayer de trouver un ou deux types dans la rue pour m'aider.

Tous les gens étaient au travail. Il n'y avait plus personne sur les trottoirs. J'ai attendu un moment, sonné en vain chez deux voisins puis je suis revenu à la maison.

— On va s'en tirer tous les deux, a dit Anna.

Au bout d'une cinquantaine de mètres, le moteur a toussé et j'ai réussi à l'emballer avec un bon coup d'accélérateur. Les jambes repliées sur son siège, grelottante, Anna a dit :

— Pourquoi on n'arrive jamais à faire les choses normalement ?

— Je ne sais pas, on s'est peut-être trop laissé aller.

Anna essaya de couvrir ses genoux avec son manteau. Elle n'y parvint pas. Il était trop court. Je songeais que, quand tout serait fini, on pourrait peut-être partir vers le sud et prendre l'hiver de vitesse.

— A quoi tu penses ? demanda Anna.

— Je me demande si la voiture va redémarrer pour partir de l'hôpital.

La salle d'attente orange était presque vide. On s'est assis côte à côte, nous n'avons pas croisé les jambes, nous sommes restés là, immobiles, jusqu'à ce qu'on nous appelle. Jamais nous n'avions été aussi loin du sud et des fêtes de Noël.

Une infirmière est venue chercher Anna et m'a demandé de patienter. Ma femme s'est éloignée dans son manteau trop court. Et j'ai compris soudain qu'on était en train de faire une bêtise. Que ce gosse était peut-être une chance, qu'il pouvait nous aider à nous en sortir, nous obliger à vivre, à vivre tous les jours. J'ai bondi de mon siège et j'ai rattrapé Anna.

— Viens, on s'en va.

J'ai pris sa main et nous avons couru vers la sortie. Comme si nous nous évadions.

Dans la voiture, Anna a passé ses doigts sur ses yeux. Je gardais mes mains sur le volant.

— Pourquoi tu as fait ça ?

— Parce que, tous les trois, je crois qu'on va bien rigoler.

J'ai tourné la clé de contact. Le moteur s'est lancé tout de suite. De notre vie nous gardions tout. Nous ne laissions à l'hôpital qu'un gros nuage de fumée bleue.

« PRENDS SOIN DE TOI »

C'est l'odeur de l'essence qui m'a réveillé. L'odeur, et le bruit des voix. Je me suis redressé sur mon siège. A l'intérieur de la station-service, le pompiste s'en prenait à une femme plus jeune que lui. Si elle en avait assez, elle pouvait partir. Mais la fille ne semblait pas décidée. Près d'elle, deux hommes en bras de chemise buvaient de la bière. L'air était encore chaud. Personne ne roulait sur la route et, même dans le lointain, on ne percevait aucun bruit. Nous étions au cœur du désert. Il ne restait plus que deux cigarettes dans mon paquet. J'en allumai une.

Cet endroit était le seul îlot de vie à des kilomètres à la ronde. Ici, il y avait de la lumière, des boissons fraîches, de quoi manger, fumer, téléphoner, réparer. De quoi s'en sortir. Tout autour, dès que l'on s'éloignait de ces barres de néon, ce n'étaient que le sable et la nuit.

Le pompiste bouscula la fille et, d'une démarche lourde, s'approcha de moi :

— Je sais pourquoi la voiture chauffe. J'ai regardé. Une durite qui fuit. On fait quoi ?

— Vous avez de quoi réparer ?

— J'ai toutes les durites. Si je les ai pas, je les fais. C'est comme ça.

L'homme prit une boîte de soda et traversa la piste. Il souleva le capot de la Mercury et alluma sa baladeuse. Les deux buveurs de bière rappliquèrent et se postèrent devant le moteur, mains derrière le dos. Le garagiste trempa sa casquette dans un seau d'eau qui servait à nettoyer les pare-brise, la rajusta sur son crâne et se mit au travail. Au travers de la vitre, je voyais les gouttes ruisseler sur les mèches grasses de ses cheveux, glisser sur son visage et tomber sur le radiateur brûlant de la voiture.

Debout devant la porte de la station, la fille fumait. Je la rejoignis en me passant les mains sur le visage. De gros hannetons voletaient autour des ampoules. Le garagiste, couché sous le moteur, se tordait au sol comme un serpent. Il jura, poussa un grognement écœurant et aussitôt un liquide brunâtre s'écoula du ventre de la voiture. Les deux acolytes se penchèrent pour ne rien perdre de cette hémorragie. J'allai me servir une bière fraîche dans le distributeur et m'assis dehors sur le banc tandis qu'au-dessus de ma tête les insectes dansaient comme des diables dans le faisceau de la lampe. En bordure du noir, tout au bout de la piste, la fille allait et venait, les bras croisés sous ses seins. Je ne voyais que le mouvement régulier de ses jambes, je n'entendais que le bruit claquant de chacun de ses pas. Les trois types du garage examinaient la durite comme s'il s'agissait d'un morceau d'intestin. Ils semblaient préoccupés. Au bout d'un moment, le pompiste s'avança vers moi :

— Il vaut mieux vous le dire, on va pas l'avoir. C'est comme ça. On peut pas la faire non plus. Elle est trop tordue, il y a trop de coudes. On la commandera demain. Vous pouvez dormir ici, on loue des bungalows. Ma femme va vous montrer.

Le lit était recouvert d'une cotonnade blanche. Il y avait une commode près de la porte et, dans un renfoncement, un lavabo, une douche et un W.-C. dissimulés par un rideau de plastique. La femme ne parla pas. Elle fuma et resta plantée au milieu de la pièce, dans le noir. Dehors, le pompiste cria :

— T'attends quoi pour brancher le générateur électrique ?

L'ampoule du plafond clignota puis émit une lueur faible. Par la fenêtre, je regardais la femme s'éloigner dans la lueur irréelle des pompes, parmi la myriade d'insectes qu'elles attiraient. D'une certaine façon, ce soir, moi aussi j'avais été capté par elles.

Je n'arrivais pas à m'endormir, J'écoutais tous les bruits. Je pensais que la fille, dehors, devait être dans le même état que moi.

A l'abri du soleil, le garagiste et ses deux adjoints tétaient toujours leur bière en faisant des commentaires sur la durite qu'ils se repassaient de main en main. Je les rejoignis.

— Finalement, j'ai pu réparer. Pendant que vous dormiez, je vous ai bricolé quelque chose. Vous pouvez rouler tranquille, c'est pas du provisoire.

Les deux acolytes ont souri en me regardant. J'ignorais ce qu'il fallait en penser. A l'intérieur de la station, près d'un ventilateur, dans les mêmes vêtements que la veille, la femme du pompiste fixait la route déserte.

Je fis quelques kilomètres sans pousser le moteur. Cela n'empêcha pas l'aiguille du thermomètre d'eau de monter. A la moindre côte, le radiateur bouillait.

La cabine était exposée en plein soleil. Je décrochai le téléphone et aussitôt mon front se couvrit de transpiration. Après la tonalité, je composai le code inter-

national pour l'Europe, puis mon propre numéro. En
écoutant les sonneries successives, je songeai que,
là-bas, de l'autre côté de l'Océan, il était près de
minuit. J'imaginais l'appartement dans le noir, je
revoyais les tableaux de la chambre, le lit blanc et le
téléphone qui appelait dans le vide. J'ignorais où était
Elizabeth. Elle devait marcher ou bien dîner dans la
fraîcheur de la nuit. En raccrochant, j'essuyai mon
visage. Avant de remonter dans la voiture, j'ôtai ma
chemise et enfilai un polo sec. Des busards tour-
noyaient dans le ciel et la route s'étirait comme un long
cheveu à perte de vue. A mes pieds, une colonie de
fourmis s'attaquait à la dépouille d'un mulot mort. Le
goudron était brûlant, il collait à la semelle de mes
chaussures. J'actionnai le démarreur, enclenchai une
vitesse avec le sélecteur et, lentement, je démarrai.

Le paysage était déprimant. Une terre aride, piquée
par endroits de buissons secs. De temps à autre, je croisais une voiture ou j'apercevais les vestiges d'un motel.
Si la Mercury tenait le coup, j'arriverais peut-être au
Mexique avant la nuit. Je roulai encore une bonne
heure en me demandant si Elizabeth était rentrée.
J'avais du mal à me figurer ce qui se passait là-bas. A
quoi la vie ressemblait-elle depuis que j'étais parti ? Je
savais seulement que nul n'est indispensable, que les
absents sont toujours coupables, que rien ne résiste au
temps et qu'une femme ne tient jamais à un homme
que tant qu'il est là.

Loin, dans le bouillonnement de la chaleur, je vis un
point noir au bord de la route. C'était un type qui faisait
du stop. Il semblait agité et se balançait d'une jambe
sur l'autre. Je passai devant lui sans m'arrêter, puis frei-
nai au bout d'une centaine de mètres. J'enclenchai la

marche arrière et me portai à sa hauteur. Le voyageur était jeune, sa barbe éparse, ses cheveux gras. Son visage avait des proportions bizarres. Pas laides, mais bizarres.

— Je vais à Nuevo Laredo.

— Monte.

L'embrayage patina légèrement avant de lancer la voiture à sa vitesse de croisière.

— Je m'appelle Adams, Adam Adams, dit le jeune homme.

— Tu attendais depuis longtemps dans cette fournaise ?

— Depuis midi. Un routier m'a fait descendre de son camion parce que je fumais des trucs qui lui plaisaient pas. Tu vois le genre.

— Avec moi tu peux fumer ce que tu veux.

Adam Adams sortit un joint de sa poche et l'alluma voluptueusement à l'aide d'un briquet tempête. L'habitacle de la voiture s'emplit d'une odeur agréable.

— Rien qu'à voir la touche de ta voiture, je savais que t'étais pas un emmerdeur. Je suis sûr que tu n'es pas un type à cracher sur une barre.

Et tirant sur le mégot brûlant d'Adam Adams, j'ai senti sur ma langue le picotement de l'herbe fraîche. Ensuite, je suis resté silencieux, attentif au bruit chuintant des pneus sur le goudron à demi fondu. J'imaginais que la voiture glissait sur une fine pellicule d'eau et, en réglant machinalement le rétroviseur, je souriais. Adam Adams s'était assoupi, le visage balayé par le vent.

Une heure plus tard, je me suis arrêté dans une station pour faire le plein d'essence. J'ai remis de l'huile dans le moteur, de l'eau dans le radiateur et acheté des boîtes de bière fraîche. La frontière était encore à plus de six heures. Quand je revins à la voiture, Adam Adams tripotait quelque chose dans une boîte de métal. En démarrant, j'aperçus des traces de poudre blanche sur ses doigts. De la cocaïne, ou quelque chose comme ça.

— Tu ne comptes quand même pas passer la frontière avec tout cet attirail ?

— T'en fais pas. D'ici Nuevo Laredo, on aura tout liquidé.

Il referma sa vitre, sortit une vieille pipe, déposa une plaque d'aluminium trouée sur le fourneau, la saupoudra de sa mixture qu'il enflamma avant d'inhaler, la fumée d'une inspiration violente. L'odeur âcre de cette combustion m'incommoda.

— Je t'en prépare une ?

A cette heure, Elizabeth était sûrement rentrée. Je n'avais plus envie de lui parler, ni de lui avouer que je roulais dans une voiture bouillante au milieu d'un désert hostile en compagnie d'un gosse prêt à téter un pot d'échappement.

— Quand je vais allumer, pompe un coup sec.

— C'est quoi ?

— Du buffle.

Sans chercher à en savoir davantage, j'aspirai un coup sec. La fumée m'écorcha la gorge et les bronches comme si j'avais avalé un buisson piquant. Adam Adams avait déjà remballé ses affaires et commençait à se tortiller sur son siège. Il caressait son sexe à travers son jean. Il ne s'en faisait pas. Je ne me sentais pas très bien. Je roulai encore quelques kilomètres, puis je stoppai en lisière du bas-côté. Mon corps se contractait, se condensait. Tandis que mes membres devenaient de plus en plus rigides, autour de moi, le désert tournait comme un manège. La paralysie me gagnait. Je passai ma langue déjà durcie sur mes lèvres et j'eus l'impression de lécher du marbre. Enroulé sur lui-même, Adam Adams, ne bougeait plus. Il était aussi recroquevillé qu'une coquille d'escargot. Dans un dernier effort et sans savoir pourquoi, je verrouillai ma porte avant de m'abandonner à la charge de buffle.

Je rouvris les yeux le lendemain matin. Je ne me souvenais plus de grand-chose, sauf des hallucinations que j'avais eues toute la nuit. Adam Adams dormait sur la terre du désert, étalé, défait, sa bouche embrassant la poussière. Je sortis avec difficulté de la Mercury en grognant, pris un jerricane d'eau dans la malle et le versai sur ma tête. J'avais mal partout. Un instant, je songeai à repartir en laissant le gosse là où il était, errant parmi ses buffles. Mais je m'approchai de lui et le secouai doucement. Il leva une paupière, avala un peu de sable et se rendormit. Je lui passai de l'eau sur la nuque et le front, lavai sommairement ses lèvres et le transportai jusqu'à la voiture. J'étais hors d'haleine.

Je roulai une bonne heure avant de m'arrêter pour déjeuner dans un relais de routiers. Mon estomac naviguait dans tous les sens et je sentais mon sang bouillonner douloureusement dans mes tempes. Je bus un café brûlant et mangeai un beignet. Je pris une longue douche et changeai de vêtements avant de revenir à la voiture. J'y retrouvai Adams complètement réveillé, un joint piqué au coin des lèvres.

— Ça va pas recommencer ?

— C'est juste un pétard.

— Balance-moi ça.

— Comme tu voudras.

— Qu'est-ce que tu nous as fait avaler, hier soir ?

— Je te l'ai dit, du buffle, mon pote.

— C'est quoi, le buffle ?

— Je sais pas, c'est du buffle.

— Alors tu prends des trucs et tu sais même pas ce que c'est ?

— T'as pas aimé ?

— Pas vraiment, non.

— C'est parce que c'est la première fois. Peut-être aussi la chaleur. Tu sais pourquoi on appelle ça du buffle ?

— Parce que ça charge.

— T'as gagné, mon pote.

— En tout cas, jusqu'à la frontière, tu t'en tiens aux barres de chocolat. Tu veux pas essayer une douche ?

— Tu vois, la douche, je la sens pas.

Je démarrai en douceur. Adam Adams alluma la radio et chercha une station qui diffusât autre chose que de la country, puis il chaussa ses lunettes de glacier et s'enfonça dans son siège. Vers midi, je stoppai près d'une cabine de téléphone. J'avais fait une provision de pièces au relais. Une nouvelle fois, je composai le code de l'international et mon propre numéro. Elizabeth décrocha à la quatrième sonnerie. Sa voix était parasitée par toutes sortes de souffles et de grésillements, elle semblait provenir de la lune. Je gorgeai l'appareil de monnaie.

— C'est moi.

— Où es-tu ?

— Près de la frontière du Mexique, dans une cabine au bord de la route. Je pensais à toi, je voulais savoir comment tu allais.

— Ça va.

26

Adam Adams était sorti de la voiture. Il fumait une cigarette, appuyé contre la carrosserie. D'un rythme régulier, avec le talon de sa botte, il cognait contre la tôle de la Mercury.

— Je crois que je me suis trompé, Elizabeth. Je regrette pas mal de choses.

— Tu n'as rien à regretter.

— Ne quitte pas, je vais remettre des pièces.

Si j'en avais eu la possibilité, j'aurais glissé dans la machine la totalité de ce que j'avais sur moi, mes billets, mes cartes de crédit, ma montre et jusqu'à mes vêtements. J'aurais enfourné tout ce que je possédais dans ce téléphone pour profiter encore plus longtemps de cette voix qui semblait descendre du ciel. A la fin, j'ai dit :

— Tu me manques.

— Prends soin de toi, a-t-elle répondu.

L'appareil avala la dernière pièce et la voix se tut. Adam Adams tapait toujours avec sa chaussure. Je raccrochai et me tournai vers le désert. Dans la voiture, la radio gueulait à tue-tête.

Tout à coup Elizabeth me sembla aussi lointaine et inaccessible que l'éternité, et j'eus le pressentiment que jamais je ne la reverrais.

— Toi, mon pote, tu viens d'appeler une fille.

— Ta gueule, Adams.

En milieu d'après-midi, nous arrivâmes à Nuevo Laredo. Un peu avant la frontière, je garai la voiture sur le bas-côté et dis :

— Maintenant, ou tu balances tes saloperies, ou tu dégages.

— Je ne peux pas jeter le buffle.

— Alors, tu descends.

— Je t'assure que ça risque rien.

— Je ne veux pas une poussière de ce truc dans la voiture.

Adam Adams remit ses lunettes de glacier, attrapa son sac sur la banquette arrière et sortit lentement de la voiture. Quand il eut claqué la portière, il s'inclina vers moi :

— Finalement, t'es rien qu'une merde de vieux.

Le policier mexicain fit garer la Mercury le long du poste de douane. Il examina les papiers du véhicule, mon passeport, et décida de fouiller l'habitacle. Il ne trouva que des emballages de barres de chocolat.

J'allai manger des tacos à l'entrée de Lampazos. Le piment me dévastait la bouche, mais je dévorais. Pour la première fois depuis des mois, j'avais faim. Avant de reprendre la route, je me fis raser chez un barbier dont les couteaux étaient larges comme des épées.

Je voulais arriver à Monterrey. J'ignorais où j'irais ensuite. Ce voyage n'avait désormais plus de sens ni de but. Il m'avait suffi d'entendre la voix d'Elizabeth pour comprendre que j'étais dans la mauvaise direction, que je tournais le dos au seul bonheur auquel je pouvais encore prétendre.

La route était rectiligne, le soleil disparaissait lentement derrière les montagnes. Je roulais parmi les cactus. Je roulais seul dans une voiture qui chauffait. Au sommet d'une petite côte, je vis un homme au bord de la route qui faisait de grands signes en se balançant d'une jambe sur l'autre. Je reconnus aussitôt Adam Adams. Je me demandai comment cet animal avait pu parvenir là aussi vite. Quand il eut repéré la Mercury, il sauta sur place comme si ses chaussures étaient remplies de serpents. De loin, on eût dit une grenouille. Je ralentis et m'arrêtai. Il se précipita dans la voiture, bondit sur le siège et avec ses deux mains ébouriffa mes cheveux.

— Tu es complètement cinglé, j'ai dit.

— Je savais qu'on se reverrait. On se fait un petit buffle pour fêter ça ?

— Fais-toi ce que tu veux et oublie-moi.

— Comme tu voudras.

J'enclenchai une vitesse et, comme à son habitude, l'embrayage patina. Adam Adams avait déjà sorti tout son attirail. Quand il aspira son poison, j'abaissai la vitre de la portière. Le spectacle de la nuit qui venait suffisait à me combler. Je respirai l'air aux odeurs fruitées qui s'engouffrait dans la voiture. J'aurais donné beaucoup pour pouvoir raconter à Elizabeth toutes ces petites choses que je venais de vivre au cours de ces dernières heures. Les fourmis de la route, la femme du désert, la voix qui venait de la lune, et aussi l'histoire de ce dresseur de buffles nommé Adam Adams.

Vers minuit, je garai la Mercury le long d'un petit chemin pour prendre un peu de repos. Par la glace entrouverte, j'entendais vivre toutes les bêtes de la nuit. Le ciel était clair et Adams dormait en bavant sur le dossier. Je fumai une cigarette en me demandant ce que j'allais devenir. La voix d'Elizabeth attendait quelque part, là-haut sur la lune. Je n'avais pas eu assez de pièces, tout à l'heure, pour l'entendre davantage, pour savoir si elle voulait que je rentre. Elle m'avait seulement dit de prendre soin de moi.

Il était un peu plus de quatre heures du matin quand je me réveillai. Adams n'était plus dans la voiture. Il avait laissé toutes ses affaires en vrac sur son siège.

L'air avait fraîchi. J'attendis ainsi, immobile, quelques minutes, les doigts sur les stries du volant, la tête appuyée contre la vitre. Puis je perçus des bruits de pas qui provenaient du chemin. Quelqu'un marchait vers la voiture. Ce ne pouvait être qu'Adams. Quand j'allumai les phares, il plaça son avant-bras devant ses yeux pour se protéger de la lumière et continua d'avancer calmement. Ce n'est que lorsqu'il fut très près de la voiture que je vis qu'il tenait un couteau à la main et qu'il était couvert de sang de la tête aux pieds.

— Qu'est-ce qui s'est passé ?

— J'ai tué un chien. Je suis sorti pisser, puis je me suis baladé un peu. Tout d'un coup un chien m'a sauté dessus et pour m'en défaire j'ai été obligé de le planter.

— Tu l'as blessé ou tué ?

— Il ne bougeait plus.

Je me précipitai sur le chemin de pierres avec ma lampe de poche. Au bout de trois cents mètres, je vis le corps d'un petit animal d'une quarantaine de livres, couché dans l'herbe. Sa robe claire était trouée de toutes parts. Adams s'était acharné sur cette pauvre bête. Adams était fou. Je le retrouvai près de la voiture. Il s'était changé et procédait à une toilette sommaire.

— Pourquoi tu as tué ce chien ?

— Je te l'ai dit, bon Dieu. Il s'est jeté sur moi comme un fauve. S'il le faut, il était enragé ce putain de clebs. Tu aurais préféré que je me fasse bouffer, c'est ça ?

— T'es cinglé, Adams. Tes saloperies te font perdre la boule.

Nous roulâmes toute la journée et la Mercury tint le coup. Finalement nous ne prîmes pas la direction de Monterrey. A un moment, je ne sais pourquoi, on bifurqua vers l'ouest. Et, le soir, on se retrouva près de Topolobampo, au bord du Pacifique. Nous nous sommes arrêtés devant un petit motel construit sur la falaise. De nos chambres, dans la lumière rasante du soir, on pouvait voir enfler les énormes rouleaux dont le vent de terre rabattait les crêtes blanches vers le large. En une journée, sans en avoir arrêté le projet, nous étions passés du désert à la mer. Adams entra dans ma chambre :

— Je regrette pour le chien. Je ne sais pas. Dans le noir, il m'a paru énorme. Souvent, c'est comme ça, j'arrive pas à voir les choses comme elles sont vraiment.

Il avait le visage et la voix d'un enfant. Il n'avait pas touché à sa poudre de la journée. Il restait debout, planté devant la baie. Ses yeux effleuraient les vagues, ses pensées cavalaient sur l'écume. Je regardais les images du téléviseur. Elles tremblaient comme si elles avaient froid. Je descendis boire une bière au bar. Adams m'accompagna. Après un long silence au cours duquel il se tortilla dans tous les sens sur son tabouret, il me demanda de lui prêter la voiture pour aller faire un tour dans les bars du coin. Il ne me proposa pas de venir avec lui, J'entendis les roues de la Mercury patiner rageusement sur le gravier du parking. Adams n'était pas du genre à se soucier d'un embrayage fatigué ou d'un radiateur qui fuit. Je mangeai des tacos au comptoir, regagnai ma chambre et me couchai en écoutant les grondements de l'océan. Ce soir-là ils couvraient tout, même la voix d'Elizabeth.

Je m'éveillai au petit jour. Face à mon lit, roulé en boule dans le fauteuil, Adams me regardait fixement.

— Je n'ai pas fermé l'œil de la nuit. Je pensais sans

arrêt à ce satané clebs, je le sentais gigoter entre mes doigts. Il faut qu'on parte d'ici.

— Calme-toi, c'est fini cette histoire.

— N'empêche, il faut qu'on se tire d'ici et vite. J'ai recommencé cette nuit.

— Tu as recommencé quoi ?

— J'ai cassé la tête d'un type dans un bar. A coups de bouteille, c'était pas de ma faute. Il l'avait cherché. Comme le chien, pareil. C'est lui qui m'a sauté dessus.

Seules ses lèvres bougeaient. Son corps, lui, semblait pétrifié. Son regard était celui des épileptiques. J'allumai une cigarette et ouvris les fenêtres en grand. L'air frais du matin et le vacarme des vagues firent sursauter Adams.

— Ferme ça, nom de Dieu, ferme ce putain de bruit. Tu veux nous faire crever ou quoi ?

Je m'habillai et descendis boire un café. Je demandai au gardien la permission d'utiliser son téléphone pour appeler en Europe. Il me tendit le combiné et enclencha un minuteur. J'entendis les sonneries retentir dans le vide de l'appartement d'Elizabeth.

— On y va ? On dégage d'ici ?

Adams était presque collé dans mon dos, son sac sur l'épaule. Il avait mis ses lunettes de glacier sur son nez. Il était surexcité.

Nous longeâmes la route de la côte. Adams me raconta un tas de choses sur sa vie. Il m'avoua qu'il n'avait pas eu de fille depuis longtemps, mais que cela ne lui manquait pas vraiment, d'autant que la dernière lui avait collé une maladie qui l'avait fait souffrir pendant des mois.

— Je la voyais l'après-midi pendant que son mari travaillait. Elle me parlait de lui tout le temps, elle répétait que c'était un assureur de première. Moi, je lui répondais : pour qu'il y ait des mecs qui assurent, il faut qu'il y en ait d'autres comme moi qui prennent des risques. Elle me disait que j'étais fou. N'empêche, avec ce qu'elle m'a refilé, il m'a fallu du temps pour l'oublier. Au fait, c'est qui la femme que tu appelles sans arrêt ?

Pour toute réponse, Adams dut se satisfaire du bruit apaisant et régulier du moteur. Il alluma une cigarette, allongea ses jambes sur le tableau de bord et brancha la radio. Il chercha un long moment une station qui lui convienne puis, n'en trouvant pas, coupa le poste. Il s'enfonça dans son siège et marmonna :

— Je suis sûr que tu n'es pas le genre de type à te taper des femmes d'assureur.

Vers trois heures de l'après-midi, nous nous sommes arrêtés dans un motel minable construit au bord d'une plage déserte. Il y avait un bureau en brique et cinq bungalows en planches. Le gardien nous demanda nos passeports et les examina avec émerveillement, comme s'il compulsait des livres d'images. C'était un homme âgé qui attendait là que sa vie cesse. Il portait des vêtements de toile claire. Il nous installa avec beaucoup de gentillesse et discuta même longtemps avec Adam Adams. Un peu plus tard, je revins dans son bureau et je tentai de lui expliquer que je voulais téléphoner en Europe. Il demeura interloqué, comme un homme incapable d'imaginer que son modeste appareil puisse porter des mots jusqu'à des distances si lointaines.

— Elizabeth ? C'est moi. J'ai essayé de t'appeler plusieurs fois, mais tu n'étais pas là.

— Tu vas bien ?

— J'ai très peu de temps. Il faut que tu me dises les

choses très vite. Est-ce que tu veux que je rentre, est-ce que tu veux que je revienne ?

— Je ne peux pas parler de ça maintenant.

— Pourquoi ?

— Ce n'est pas le moment.

— Bon Dieu, j'ai besoin de savoir. Surtout là où je suis.

— Personne ne t'y a envoyé.

Je n'ai pas su quoi répondre, alors, doucement, j'ai raccroché. Le vieux gardien, assis sur son tabouret, n'avait pas perdu un mot de notre conversation. Il avait essayé de deviner les intonations de la voix qui venait de la lune. Il était stupéfait que des êtres puissent se parler d'aussi loin, stupéfait qu'un tel miracle se soit produit aujourd'hui, dans son propre bureau. Il me fixait comme si j'appartenais à une autre espèce. Mais je n'étais qu'un homme communément triste.

Sur la plage, en maillot de bain, Adams gesticulait au bord de l'eau. Il me faisait de grands signes pour que je le rejoigne. Je le regardais entrer dans l'océan en battant les vagues de ses grands bras. Je ne sais pourquoi, mais à cet instant je pensai à la femme de l'assureur. Il avait dû lui en faire voir de toutes les couleurs.

Je savais maintenant que je n'appellerais plus Elizabeth, je savais que personne ne m'attendait ni ne m'espérait, qu'il fallait que je me débrouille seul avec les jours à venir. Pour me déplacer, il me restait une voiture qui chauffait, et pour parler, un gosse qui poignardait les chiens.

Pendant qu'Adams se débattait dans les vagues, j'en profitai pour ramasser la poudre qu'il avait rangée dans le tiroir de sa table de nuit. Je la glissai dans une poche en papier et montai dans la Mercury. Je roulai un moment en bordure de la falaise et je balançai le paquet dans l'océan. Les poissons qui allaient tomber dessus passeraient un bon moment. Je me demandai quelle tête ferait Adams quand il s'apercevrait de la disparition de ses réserves. Je n'aimais pas faire des choses comme ça. Mais Adams était givré.

Je retournai au motel vers le milieu de la nuit après avoir traîné dans des bars et montré la Mercury à un garagiste. Il y avait un mot posé sur mon lit : « La vie est belle. Adams. »

Je m'attendais à tout de sa part sauf à ce genre de réaction. Je me dirigeai vers son bungalow et, sans faire de bruit, j'entrouvris sa porte. Une faible lumière éclairait la pièce. Adam Adams était assis sur son lit, nu avec ses lunettes de glacier sur le nez. A ses côtés, une fille entortillée dans les draps semblait dormir. Quand il m'aperçut, il me gratifia d'un large sourire et leva le pouce en me montrant sa compagne qui sommeillait. Il ne paraissait pas excité comme à son habitude, mais simplement heureux. Je refermai la porte. La nuit était douce, l'océan presque calme. J'ai pensé que le buffle y était peut-être pour quelque chose.

Je me retrouvai seul dans ma chambre comme aux pires moments de mon existence. N'ayant nulle part où aller ni personne à appeler. Je savais que désormais, pour moi, le temps serait infiniment long, et que les grondements de l'océan me paraîtraient aussi pénibles que les silences du désert. Je repensais à cette femme qui m'avait conduit, l'autre nuit, dans ma chambre, à la station-service. Je la revoyais droite, immobile dans le noir, pendant que son mari hurlait dehors. Ce soir-là, j'aurais aimé qu'elle fût près de moi. Je lui aurais dit ce qu'il m'avait fallu de courage pour raccrocher le premier, pour prendre le malheur de vitesse, pour deviner ce qu'il était chargé de m'apprendre, pour avoir l'illusion de choisir le moment et les raisons de mon propre renoncement. Il me semblait que c'était mieux ainsi.

A présent, j'entendais Adams et la fille rire dans la pièce voisine. Je pris deux somnifères qui firent taire peu à peu les bruits de leur bonheur.

Le temps était lourd et gris. Les mouettes agglutinées sur le sable contemplaient la mer. Je bus un café avec le vieux gardien. Il me demanda si je comptais me servir de son téléphone aujourd'hui. Quand je lui dis que non, il sembla déçu. Adams et son amie se levèrent vers midi. Il portait toujours ses lunettes de glacier et elle, une robe grenat. Adams avait sa tête des mauvais jours :

— C'est toi qui as piqué mes trucs ?

— Quels trucs ?

— Tu sais bien de quoi je parle.

— Tes trucs, je les ai donnés à manger aux poissons.

Il enleva ses lunettes, et je vis ses yeux larmoyants de haine.

— Sale con de vieux. L'autre nuit, j'aurais dû te crever comme le clebs. T'es un malade, un désaxé. C'est pour ça qu'à ton âge tu cavales seul sur les routes, pour ça que ta poule ne veut plus de toi.

De toutes mes forces, je le frappai au visage. La violence du coup le projeta à terre. Sa pommette était ouverte et ses lèvres rougies par le sang. La fille l'aida à se relever et, comme deux gosses effrayés, ils se réfugièrent dans leur bungalow.

Ils ne reparurent pas de la journée. Adams devait ruminer sa vengeance. Il n'était pas homme à se laisser cogner devant une fille sans réagir. Il m'avait prédit le même destin qu'au chien. A mesure que le soir descendait, j'en venais à espérer qu'il tiendrait ses promesses.

Je dînai d'une omelette en compagnie du vieux gardien, puis j'allai me promener sur la plage. Quand il fit nuit noire, je pris ma voiture et roulai jusqu'à ce que je trouve un bar ouvert.

Le garçon posa devant moi une bouteille de tequila. Je lui tendis un billet, et la monnaie qu'il me rendit émit un bruit désagréable dans la soucoupe. Il y avait du monde et des gens venaient régulièrement glisser des pièces dans le juke-box. Je ne connaissais aucun des airs que jouait cette machine. C'était normal, je n'étais pas chez moi. C'est à des détails comme ceux-là qu'on mesure à quel point on est loin de sa vie. J'aurais eu beau fouiller de fond en comble l'appareil, je n'aurais pas trouvé une seule musique qui me rappelle ma chambre blanche. Je me remplis un verre de tequila, puis un deuxième. Une fille vint s'asseoir à côté de moi et me demanda une cigarette. Pendant que je fumais adossé à la banquette, sa main allait et venait le long de ma cuisse. Je me demandais à quel moment elle me réclamerait de l'argent. Ou bien allait-elle attendre que je sois saoul pour me prendre tout ce que j'avais.

Je m'assoupis quelques instants et, vers deux heures, le garçon qui m'avait apporté la bouteille me pria de partir. La musique s'était arrêtée et la fille s'était envolée. Elle ne m'avait rien pris. Elle avait seulement posé sa main sur mes jambes.

Le retour au motel fut un calvaire. La route me parut interminable et semée d'innombrables embûches. Je m'allongeai sur mon lit et il me sembla que le matelas produisait des bruits affreux, que la taie du traversin cherchait à pénétrer dans mes oreilles. J'entendais aussi les rires intermittents d'Adams et de la fille. Je pris trois somnifères et, sans que je le veuille vraiment, mes lèvres murmurèrent : « Bon Dieu, Elizabeth, pourquoi tu me laisses là ? »

C'est le vieux gardien qui me réveilla. Le soleil était déjà haut. Il m'expliqua que le jeune homme lui avait demandé de me remettre ce mot vers midi. Je me passai de l'eau sur les yeux et je lus : « Je t'ai piqué ta caisse, tes fringues et ton fric. Si la fille n'avait pas été là, je te piquais aussi ta vie à la con.

Le gardien me tendit un bol de café, j'en avalai une gorgée brûlante et, après avoir remercié le vieil homme, j'allai me recoucher. Tout allait peut-être se passer plus vite que je ne l'avais pensé. J'avais compté sans Adams. Grâce à lui, le temps qui me restait me paraîtrait moins long. Dans l'après-midi, alors que je marchais sur la plage, je remarquai que mes empreintes sur le sable étaient très légères. Cela n'avait rien à voir avec mon poids ou ma façon de marcher. Non, cela tenait à ma façon de vivre, d'effleurer l'existence. J'étais quelqu'un qui ne laissait pas de traces. Quelqu'un qui laissait les choses lisses.

Le vieux et moi dînâmes dehors, face au soleil couchant et sous les cris des mouettes. Il me fallut du temps pour lui expliquer que je n'avais plus rien, plus de voiture, plus d'argent, qu'Adams m'avait tout pris. Très gentiment, il me proposa d'appeler l'Europe, convaincu que la solution de tous mes problèmes se trouvait là-bas, au bout de son vieux téléphone.

Vers dix heures du soir, une voiture de police s'arrêta sur le parking du motel et deux types corpulents en descendirent. Ils firent le tour des bungalows avec leur lampe de poche et sans se presser s'avancèrent jusqu'à la réception. Ils avaient des visages gras et fumaient un tabac malodorant. Le plus grand des deux s'approcha de notre table et dit :

— Il y a quelqu'un ici qui a une Mercury ?

Le vieux gardien se leva et s'éclipsa vers ce qui lui tenait lieu de cuisine.

— J'en ai une.

— Vous connaissez un type qui s'appelle Adams ?

— Un peu.

— Voilà, il s'est fait contrôler au volant de votre voiture par la police de Mazatlan. Il a raconté que vous lui aviez prêté la Mercury. Comme il paraissait bizarre, ils l'ont gardé le temps qu'on vérifie. Alors vous confirmez que vous lui avez bien prêté votre voiture ?

— C'est exact.

— Bon, nous on va leur répéter ça aux gars de Mazatlan, et ils en feront ce qu'ils voudront, de l'Adams en question. Vous avez vos papiers sur vous ?

— Ils sont dans la voiture.

— C'est vrai. Ça ne va pas être facile d'expliquer tout ça aux autres. Enfin, on va s'arranger avec eux.

Le vieux gardien revint avec deux tasses de café chaud qu'il offrit aux policiers. Ils burent debout et demandèrent à téléphoner à Mazatlan. Puis l'un d'eux m'appela. Quelqu'un voulait me parler.

— Tu es un aigle, le vieux. Tu les as eus. Toi et moi on est de la même race. Je savais que je pouvais compter sur toi, je savais que tu ne me planterais pas.

Adams était très excité. Je le devinais au timbre métallique de sa voix. Je l'imaginais dans le commissariat, gesticulant, se balançant d'une jambe sur l'autre avec ses lunettes de glacier piquées sur le nez.

— Tu n'es pas le genre de type à lâcher tes potes. Ici, c'est l'enfer. Tu me sors de l'enfer, tu sais ça, tu me sors de l'enfer ! Rien que pour ça, ta Mercury, je vais te la ramener réparée et repeinte, parole d'Adams, nom de Dieu ! Tu m'écoutes, bordel, tu m'écoutes ?

Je rendis le combiné au policier. Il parlementa un bref instant avec Adams, puis visiblement lui raccrocha au nez. Ma chambre était silencieuse. J'avalai quand même mes somnifères et me pelotonnai dans les draps, le dos collé au mur.

Le lendemain, je me levai tard. Le soleil était chaud et la plage déserte. Le vieux gardien fut tout surpris de me voir lui demander le téléphone dès mon réveil. Il sourit en me tendant le combiné et s'installa sur le tabouret pour écouter une fois encore la voix qui venait du lointain. Il ne perçut qu'une succession de sonneries. Il rangea l'appareil en me faisant comprendre que ce n'était pas grave, qu'on essaierait plus tard. Je lui empruntai du savon à barbe et un rasoir. Quand il me vit reparaître dans ma peau toute neuve, il sourit en levant le pouce vers le ciel. Nous bûmes une tasse de café et le vieux me demanda de lui apprendre une phrase prononcée par la voix qui venait de la lune. Quelques instants plus tard, il retournait à son travail en répétant du mieux qu'il le pouvait : « Prends soin de toi. »

L'eau était claire et tiède. Les vagues me giflaient le visage, mais, malgré leur force, je réussis à m'éloigner vers le large. Puis je me retournai vers la plage désormais inaccessible. Je vis un homme qui gesticulait. Un homme qui s'agitait comme s'il avait des serpents plein les bottes. Cette fois, si Adams revenait pour me piquer ma vie, il était trop tard.

LA DOUCEUR DES INTESTINS

J'étais à l'heure. Avec sa bibliothèque garnie de communications scientifiques, sa commode copie Louis XV et ses fauteuils de bois doré recouverts de velours bordeaux, la salle d'attente du docteur Lofthausen m'était familière. Ce n'était qu'un endroit de transit entre la rue et le cabinet, mais cette pièce incitait déjà au recueillement. Je finissais ma deuxième année de psychanalyse. Au rythme d'une séance par semaine, j'allais vers ma cent quatrième consultation. J'avais laissé cinquante-deux mille francs à Lofthausen. C'était largement suffisant. Au fil du temps, nos rencontres avaient perdu de leur intensité et donc de leur intérêt thérapeutique. Je ne savais plus vraiment ce que je faisais là. Nous avions pris de mauvaises habitudes. La porte du cabinet s'ouvrit, Lofthausen apparut.

— Entrez, monsieur Kracklite.

Nous prîmes chacun nos places respectives et le silence s'installa durablement entre nous.

— Vous souhaitez garder le silence, aujourd'hui, monsieur Kracklite ?

— En fait, je n'ai plus grand-chose à dire.

— Très bien, monsieur Kracklite.

Lofthausen se leva et se posta devant sa fenêtre.

Comme il était dans mon dos, j'ignorais s'il me regardait ou s'il observait la rue. J'ai dit :

— Je vais arrêter l'analyse. Je pense que nous avons fait le tour du problème.

Il n'y eut pas de réponse. Seulement un bruit de pas rapides, comme si quelqu'un courait dans la pièce. Et aussitôt je reçus un coup à la tempe, puis un autre dans les côtes. Lofthausen me frappait. Il cognait dur, même, malgré sa faible constitution. Surpris, j'essayais de me protéger. Lofthausen était comme fou.

— Mais arrêtez, bon Dieu, vous perdez la tête !

Cette réflexion fit redoubler sa fureur, qui se traduisit cette fois par des coups de pied. Sur son nez, ses petites lunettes cerclées de métal valsaient dans tous les sens, et sa mèche, à l'habitude raide et plaquée, semblait, aujourd'hui, jaillir de son crâne. Je me ressaisis et je parvins à le faire basculer. Quand il fut à terre, je lui lançai un bon coup de coude dans l'estomac, ce qui eut pour effet de le calmer instantanément. Pendant que je remettais un peu d'ordre dans mes vêtements, il se redressa. Les montures de ses verres étaient tordues.

— Vous êtes tous pareils, tous. Vous êtes la lie du monde, la sueur de la misère. Cela fait vingt ans, vingt années que je vous écoute empester mon cabinet de vos miasmes, vingt années que vos écoulements, vos impudeurs se répandent ici. Certains soirs l'odeur est irrespirable. J'ai beau ouvrir les fenêtres en grand, rien n'y fait. Vos saloperies se sont imprégnées dans les murs.

— Qu'est-ce qui vous prend ?

— Vous payez et vous croyez que tout vous est permis ! Vous lâchez ici des immondices que vous n'oseriez pas jeter dans une décharge. Rien ne vous arrête. Je sais tout de vos sexes malades et puants, de vos rêves suintants, de vos familles, de vos intestins, de vos excréments. Vous vous videz devant moi sans vous rendre compte de l'odeur fétide que dégagent vos confessions.

— Lofthausen !

— Vous croyez que vous pouvez tout salir, tout souiller et que je suis là, comme une ménagère des âmes, pour nettoyer. Une femme de ménage à cinq cents francs de l'heure qui peut tout endurer parce que c'est inclus dans la règle et le prix.

— Calmez-vous, Lofthausen.

— J'exerce un métier indigne, avilissant, dégradant. Mais vous, vous tous qui venez me consultez, vous êtes pires que moi.

— Asseyez-vous.

Lofthausen se laissa conduire jusqu'au divan. Il appuya les coudes sur ses cuisses et fixa intensément le sol.

— Vous m'annoncez que vous me quittez, que je vous ai assez servi, épongé, essuyé. Vous me congédiez comme un domestique. Je suis sûr que dans la salle d'attente, comme tous les autres, vous avez fait le compte de ce que vous m'avez laissé, de ce que votre misère vous a coûté, et que vous vous êtes dit : « Ça suffit, maintenant, j'ai assez engraissé ce type. » Pourtant, vous devriez vous souvenir de ce que vous étiez quand vous avez pénétré dans ce bureau. Vous aussi, comme les autres, vous pleuriez, monsieur Kracklite.

— Vous m'avez bien aidé, Lofthausen, vous avez été parfait.

— *Vous m'avez bien aidé, Lofthausen.* Vous vous adressez à moi comme à un employé. Bon Dieu, quel mépris, quelle condescendance ! De quelle race êtes-vous donc vous et vos congénères ? Qui êtes-vous, vous autres, les malades ? De sales types sournois et vicieux qui me vident de mon énergie, me volent ma vie, qui chaque jour m'enlèvent une part de moi-même, une part de joie et d'espérance. Vous vous êtes reconstruit sur mon dos, monsieur Kracklite, vous vous êtes reconstitué avec ma propre chair, à mes dépens. Je vous ai ramassé dans la boue, Kracklite, c'est de là que vous venez, ne l'oubliez jamais !

Je ne savais que faire ni que dire. J'ignorais si je devais me gendarmer ou au contraire réconforter cet homme. D'une certaine façon, je le comprenais. Seules la brutalité et la verdeur de son expression me choquaient.

— Il faut que je vous dise une chose, monsieur Kracklite. Seulement une. C'est la raison pour laquelle j'ai fait ce métier. A l'âge de huit ans, mon père est mort assis à côté de moi dans son automobile. Asseyez-vous, monsieur Kracklite, asseyez-vous et écoutez-moi.

Il s'allongea sur le divan tandis que je prenais place dans son fauteuil. Nous étions ridicules.

— Nous roulions sur une route de campagne bordée de platanes. C'était dans le Midi. A l'époque, il n'y avait pas beaucoup de voitures. Celle de mon père était une Facel Vega. Je me souviens parfaitement de cette nationale ombrée et de la lumière fulgurante du soleil qui nivelait la campagne. Mon père était un homme distingué que je crois n'avoir jamais vu en bras de chemise. Calme et réservé dans l'existence, il conduisait sa Facel de manière très arrogante. Nous roulions très vite ce jour-là. Dans une longue courbe, le véhicule fit une embardée et se fracassa contre un arbre. Sous l'impact du choc, je perdis connaissance un bref instant. Quand je revins à moi, je vis que mon père était mort. La colonne de direction lui avait déchiqueté le ventre. Et savez-vous ce que j'ai fait alors, en attendant les secours, monsieur Kracklite ? Je n'ai ni pleuré ni crié, je ne me suis pas affolé. Je me suis simplement appliqué à remettre les intestins de mon père à l'intérieur de sa paroi abdominale. Je ne voulais pas qu'on le trouve avec ses viscères dehors. Et voulez-vous que je vous dise une chose, monsieur Kracklite ? Les intestins humains sont très doux, très agréables au toucher. En exerçant mon métier, aujourd'hui, je me comporte exactement comme je l'ai fait dans la Facel Vega. Vous arrivez tous devant moi éventrés, ouverts, répandus et j'essaie patiemment de vous reconstituer, de vous rendre présentables aux vôtres. J'essaie de replacer votre âme pendante dans votre corps. Mais, à la différence des intestins, l'âme humaine est d'une texture repoussante. Voilà, monsieur Kracklite.

Lofthausen se releva, ajusta ses lunettes, disciplina sa mèche et dit :

— Veuillez sortir de mon fauteuil et reprendre votre place.

— Quelle est ma place ?

— Le divan, monsieur Kracklite. Le divan pour encore trente minutes.

— Ne pourrions-nous pas interrompre maintenant ?

— Il n'en est pas question. Je pense qu'aujourd'hui nous avons franchi, vous et moi, un nouveau pas. Votre thérapie doit être menée jusqu'au bout, jusqu'à la dernière minute. Je vous écoute, monsieur Kracklite.

— Je n'ai plus rien à dire.

— Quand avez vous fait l'amour pour la dernière fois, monsieur Kracklite ?

— Pourquoi cette question ?

— Pour savoir où en est votre libido.

— Vous menez cet entretien de façon plutôt fantasque.

— Je soigne, contentez-vous de guérir. J'attends votre réponse.

Je restai buté. Il n'y avait aucune raison pour que je satisfasse la curiosité de ce type en crise. Je croisai les bras sur ma poitrine et fermai les yeux. J'étais plutôt relaxé.

— Savez-vous que j'ai en ce moment l'envie folle de vous frapper, monsieur Kracklite ? J'ai le désir profond de vous ouvrir, de vous écharper, de vous remettre dans l'état pitoyable dans lequel vous vous êtes présenté ici pour la première fois. Comprenez-vous cela ?

— Je peux effectivement l'envisager.

— Vous pouvez l'envisager, *ou* l'admettre ?

Je préférai garder le silence. Je me demandais s'il avait réellement perdu la tête ou si cette mise en scène ne correspondait pas plutôt à la phase ultime de ma thérapie, s'il ne me faisait pas subir un dernier contrôle avant de me renvoyer à la rue.

— Nous allons jouer à un jeu, monsieur Kracklite. Je vais énumérer quelques mots et vous allez me dire à quoi ils vous font penser, à quoi vous les associez, sans réfléchir. Commençons : Facel Vega.

— Vitesse.

— Bien. Intestins.

— Ercéfuryl.

— Très habile, monsieur Kracklite. Sodomie.

— Psychanalyse.

— Ah ! très bien. Immaculée Conception.

— Sodomie.

— Vous êtes très drôle et très fort à ce jeu. Voyons ce que vous allez répondre si je vous dis : cimetière.

— Si vous me dites cimetière, je vois ma mort, ma tombe, ma propre tombe avec mon nom gravé sur la pierre, je vois quatre ou cinq cyprès florentins qui s'inclinent dans le vent, je vois un ciel gris de fin d'été.

— Et sous la terre, monsieur Kracklite ?

— Sous la terre ? Des vers. Une infinité de vers qui dévorent mon cœur et mes poumons sans la moindre miséricorde, des vers froids et solidaires.

— Bien. Je crois que nous pouvons interrompre la séance et nous séparer là-dessus.

Lofthausen se leva et se dirigea vers son bureau. Il semblait avoir recouvré tout son calme. Il ouvrit un tiroir, en sortit un maigre dossier et se mit à écrire sur une feuille déjà remplie de notations.

— Je vais vous faire un chèque.

— Non, monsieur Kracklite. Aujourd'hui, c'est moi qui vais vous verser cinq cents francs. Je veux que vous ressentiez jusqu'au bout ce que peut être mon humiliation quotidienne. Un jour, un de mes patients a voulu spontanément doubler le montant de mes honoraires. Je lui en ai demandé la raison. Il m'a répondu : « Je donne des pourboires royaux pour que les génuflexions soient plus basses.

— Vous perdez la tête, Lofthausen. Vous devriez arrêter. Je crois sincèrement que vous ne vous contrôlez plus.

— Cela n'a strictement aucune importance. La plupart de mes clients ne se contrôlent pas non plus. L'important, c'est qu'ils croient que je les contrôle. Vous-même, pendant le petit incident de tout à l'heure, vous vous êtes posé la question. Est-il fou ou est-ce qu'il joue au fou ? Vous ne saurez jamais la réponse. Et ceux qui vous suivront dans ce cabinet, pas davantage. Et tant que le doute subsistera, eux et vous aurez besoin de moi. Voilà vos cinq cents francs, monsieur Kracklite. Et bonne chance.

Je sortis en le laissant avec son billet au bout des doigts.

Une année passa. En puis, un soir, le téléphone sonna chez moi. C'était la voix de Lofthausen.

— Monsieur Kracklite ? Pardonnez-moi de vous joindre si tard. Je voulais seulement prendre de vos nouvelles et m'assurer que vous n'aviez pas gardé un trop mauvais souvenir de notre dernière rencontre.

— Tout cela est oublié, Lofthausen.

— Vous n'avez pas à m'appeler Lofthausen, nom de Dieu ! hurla-t-il. Je ne suis plus votre employé. Vous devez dire docteur Lofthausen, comme tout le monde !

Et il raccrocha brutalement. Le lendemain, je recevais une lettre à l'en-tête de son cabinet. A l'intérieur, il y avait un ver de terre encore vivant épinglé à un billet de cinq cents francs.

DIALOGUE AU SOMMET

Ils disent que mon boulot est dangereux. Moi, je me rends pas compte. J'ai pas le vertige. C'est vrai, c'est un truc que j'ai pas du tout. Même quand je marche sur des poutrelles d'acier à quatre-vingts ou cent mètres de haut. Des fois je les soude ensemble, des fois je les boulonne, ça dépend. Le chef n'arrête pas de m'engueuler parce que la plupart du temps je travaille sans m'assurer.

— Attache ta corde, merde, il me dit toujours. J'ai pas envie de te ramasser en bas.

— J'ai pas besoin, j'y réponds, je suis comme les Indiens, j'ai pas le vertige.

— Je m'en fous ! Attache-toi !

Hier, j'ai failli y passer. Voilà, j'étais sur une poutrelle, je marchais et tout d'un coup, il y a eu une sacrée bourrasque. Ça m'a déséquilibré, j'ai glissé et je suis tombé. Heureusement, dans ma chute, je me suis rattrapé à la poutre. Les autres ouvriers du chantier, quand ils m'ont vu comme ça, ils sont restés figés. Pas un n'a bougé. Même quand le chef a déclenché l'alarme. Moi j'étais bien accroché, je me faisais pas vraiment de souci. Je sais que j'ai de bons bras. J'ai regardé le vide que j'avais sous les pieds. Une centaine de mètres, facile. Ça m'a rien fait. Sans vraiment forcer, je me suis rétabli. J'ai passé une jambe, puis l'autre sur la poutre et j'ai pivoté. Quand je me suis retrouvé assis dans le bon sens, j'ai sorti une cigarette de mon paquet et je l'ai allumée.

— Connard, hurlait le chef, je vais te faire virer, je ne veux plus de toi sur le chantier. Tu es cinglé.

Il gueulait mais il ne venait pas me chercher sur ma poutre. Personne ne s'y aventurait avec le vent qu'il y avait.

— Sors de là, criaient les autres, rampe jusqu'à nous, mets-toi à plat ventre et accroche bien tes mains.

Ils étaient tous affolés. Il faut dire que ça soufflait. Les bourrasques me faisaient bouger et gonflaient mon blouson. Mais ça m'empêchait pas de doper tranquille.

— Tendez un filet à l'étage en dessous, disait le chef, grouillez-vous, vous voyez bien qu'il n'a plus sa tête.

Tu parles que je l'avais ma tête, comme jamais je l'avais eue. Je savais bien qu'il n'y avait pas de filet à l'étage en dessous. Le temps qu'ils en trouvent un, je pouvais m'amuser encore un peu.

On est restés comme ça un bon moment, les uns et les autres, face à face, sans plus rien dire, sans bouger. Et puis un type de l'entreprise est monté voir ce qui se passait. Lui, on voyait bien qu'il était pas à l'aise, même sur le rebord de l'immeuble. Il avait un costume impeccable et un casque de chantier. Il portait des lunettes et parlait dans un walkie-talkie. Sans trop s'approcher du vide, il a crié :

— Maintenant, il faut être raisonnable, monsieur Moser. Il faut revenir ici calmement, ou alors attendre qu'une équipe de spécialistes vienne vous chercher. Vous m'entendez, monsieur Moser ?

C'est le chef de chantier qui avait dû lui dire mon nom.

— Je veux qu'on me foute la paix. Je suis bien où je suis, j'ai répondu. J'en sortirai quand j'en aurai envie.

— Restez calme, monsieur Moser. Nous ne voulons que vous aider. Avez-vous peur, avez-vous le vertige en ce moment ?

Pour lui répondre, j'ai lâché la barre et j'ai fourré mes mains dans les poches de mon blouson. Je tenais juste en équilibre sur mes fesses. Mais comme ça soufflait vraiment, j'ai pas fait ça longtemps.

— J'ai pas un poil le vertige. Sur le chantier, on m'appelle l'Indien.

— Alors pourquoi vous comporter ainsi ? Vous souhaitez une prime ?

— Mon cul, la prime !

— Monsieur Moser, ne vous énervez pas !

— Je ne m'énerve pas, je vous dis simplement que la prime vous pouvez vous la foutre où je pense.

— Êtes-vous marié, monsieur Moser ?

— Non.

— Vos parents sont-ils encore vivants ?

— Non. Pourquoi vous demandez ça ?

Le type en costard ne répondit pas. Ça ne me plaisait pas. J'ai crié :

— Hé, le bavard, c'est quoi ton nom ?

— Cisowski, Thadée Cisowski. Je suis le responsable des ressources humaines dans l'entreprise.

— Eh ben, Thadée, pourquoi tu viens pas discuter avec moi sur la barre ?

— Je ne peux pas, j'ai le vertige.

— Les autres gars aussi, ceux qui sont autour de toi ont le vertige, ça ne les empêche pas de bosser tous les jours sur les poutrelles, Thadée.

— Je comprends, monsieur Moser, et sachez bien que nous, en bas, nous savons quel formidable travail vous accomplissez tous.

— Ça se retrouve pas sur la feuille de paye.

— Qu'est-ce que vous voulez dire, monsieur Moser ? Vous voulez une augmentation ? C'est ça ?

Je savais pas ce que je voulais. En fait, je ne voulais rien du tout. Et puis la situation s'était embringuée de telle manière que ça m'avait donné envie de jouer. La tempête ne se calmait pas.

— Monsieur Moser, dois-je considérer votre attitude comme l'expression d'une revendication que vous menez au nom de tous vos camarades ?

Les autres se regardaient en se demandant ce que j'allais répondre.

— On ne peut pas discuter de ça de si loin, Thadée, je te l'ai déjà dit, viens sur la poutre.

— C'est impossible, monsieur Moser.

— Alors va te faire foutre, Thadée.

Je me suis mis debout, et malgré la tempête, à petits pas précautionneux, j'ai avancé vers l'extrémité de la poutrelle. Cisowski et les gars hurlaient. Le chef répétait : « Le filet, bon Dieu, le filet ! » Quand je me suis assis de nouveau, j'ai vu que le type des ressources humaines parlait dans son émetteur. D'une main, il tenait l'appareil, de l'autre il essayait, malgré les rafales de vent, de maintenir son casque sur la tête. C'était ridicule. On était au dernier étage. Je ne voyais pas ce qui aurait pu lui tomber dessus.

— Monsieur Moser, je suis en communication avec le chef du personnel. Il me demande ce que vous désirez exactement.

Ce que je désirais ? C'était une fille, un petit bateau,

de quoi boire, fumer et pêcher. Et aussi une camion-nette à plateau pour transporter tout mon bordel. C'est ce genre de chose que je voulais.

— Monsieur Moser, pouvez-vous me répondre ?

— Ce que je veux, j'ai dit, c'est une pause plus longue entre midi et deux, et aussi la possibilité de tra-vailler sans m'attacher et sans que le chef me crie après toute la journée.

Cisowski discuta un moment dans son walkie-talkie, puis me cria :

— Accordé pour les deux. Maintenant, vous pouvez revenir.

J'en avais pas envie. De là où je me trouvais, j'avais un point de vue magnifique, un point de vue de patron. Sans compter qu'avec mon cinéma je tenais les autres lopettes par les roupettes.

— Je vous en prie, monsieur Moser, vous avez obtenu gain de cause, alors maintenant rampez jusqu'à nous.

J'ai sorti une clope de mon paquet souple et je l'ai allumé malgré le vent. Quand j'ai recraché la fumée, il m'a semblé que les bourrasques me l'arrachaient de la bouche.

— On veut aussi plus d'argent, j'ai gueulé.

— Ce n'est pas correct, monsieur Moser. C'est du chantage.

— Qu'est-ce que c'est cette histoire ? Moi je suis sur ma poutre et c'est tout. Je ne réclame rien. Vous me demandez ce qui me ferait plaisir, alors je vous réponds.

— Ne vous énervez pas, monsieur Moser, essayons de rester calmes, tous.

Cisowski a parlementé à nouveau dans son appareil.

Cette fois, ça a duré plus longtemps. Moi j'étais de mieux en mieux, d'une humeur du tonnerre. J'ai fait bonjour à tous mes copains de boulot qui étaient tassés dans un coin de l'immeuble. Pas un ne m'a répondu.

— Monsieur Moser, le chef du personnel monte vous voir.

— Il va venir sur la poutrelle ?

— Je ne sais pas.

— Et vous, ça vous dit toujours pas ?

Cisowski a haussé les épaules et a disparu dans le bâtiment. Pour que le chef du personnel se déplace en personne, c'est qu'ils avaient vraiment la trouille que je saute, j'ai pensé. Ce type-là je ne le connaissais pas, mais je savais que c'était une vraie crapule.

— Monsieur Moser ? Je suis Igor Cisowski.

— Vous êtes parent avec Thadée.

— C'est mon frère.

— Vous êtes nombreux comme ça ? Il y en a d'autres qui vont venir me voir de la famille ?

Là, j'ai vu mes copains se marrer. Igor, ça l'a vexé.

— Monsieur Moser, je n'ai pas l'intention de discuter de quoi que ce soit avec vous tant que vous serez sur cette poutre.

— Je t'ai rien demandé, mon pote.

— Je suis d'accord pour vous recevoir dans mon bureau.

— Et moi, Igor, je suis d'accord pour te recevoir sur ma poutre.

— Qu'est-ce que vous cherchez ? A faire le malin ? A nous obliger à céder ? Je vous préviens que de cette façon vous n'obtiendrez rien, absolument rien. Et si vous voulez sauter, allez-y. Nous préviendrons votre femme.

— Thadée te l'a pas dit ? Je suis pas marié. Et tu vois, j'ai pas envie de sauter. J'ai simplement envie de cloper tranquille au grand air.

— Bon, puisque c'est comme ça, les autres, reprenez le travail ! Vous m'entendez, au travail !

Le chef de chantier a tenté de rameuter l'équipe, mais les gars n'ont pas bougé. Ils se sont même mis à gueuler, à dire que tant que j'étais pas en sécurité, eux, ils ne bougeraient pas. Cisowski n'a rien répondu. Il a plié bagage. Moi, je ne m'en faisais pas mais je me demandais comment j'allais me sortir de cette affaire. Au bout de dix minutes, un type d'une soixantaine d'années est arrivé. Il avait un sacré bide et une carrure de mammouth.

— C'est quoi ton nom ? il a demandé.

— Moser, j'ai répondu.

Derrière ses épaules, j'ai vu les deux Cisowski. On aurait dit deux moineaux. Et l'orage a éclaté. Il s'est mis à tomber des seaux. Le vieux costaud a dit :

— Tu me connais ? C'est moi, le patron. Julius Cisowski.

— Vous êtes le père des deux autres ?

— Exact. Alors, comme ça, tu veux négocier sur la poutre ?

— C'est ce que je veux.

Le vieux a enlevé sa veste et s'est avancé sous le vent et la pluie. Je n'en croyais pas mes yeux. Sa chemise était trempée et lui collait à la peau. Quand il est arrivé sur la ferraille, il n'a pas essayé de faire le malin. Il s'est accroupi et a rampé jusqu'à moi. Ça lui a pris deux bonnes minutes. On aurait dit un sanglier qui se traînait sur un fil de fer. Ça m'a filé un sacré coup. Face à moi, il s'est redressé et s'est assis sur ses grosses fesses.

— Alors tu veux quoi, Moser ?

Je n'arrivais pas à en décrocher une. Je voyais sa grosse face butée et ruisselante, je n'en revenais pas.

— Alors, Moser ?

— Eh bien, disons que je réclame ce que j'ai déjà dit : une pause plus longue entre midi et deux heures, et la possibilité pour moi de pas m'attacher.

— C'est pour ça que tu m'as fait monter ?

Les coups de vent nous faisaient vaciller bien qu'on soit tous les deux agrippés à la ferraille. Les gouttes de pluie piquaient comme des guêpes.

— Ce qu'on veut aussi, c'est 25 pour 100 en plus de prime de risque, et le tarif double quand on bosse les week-ends. Plus les chaussures de chantier payées.

— Je veux bien lâcher sur les godasses et les week-ends, mais pour les primes de risque, tu peux t'accrocher.

— On peut discuter.

— Rien à faire.

— Tous les jours, on risque notre peau sur ces poutres. Il n'y a pas de raison qu'on ne touche pas une part du gâteau.

— S'il y a du risque, tu n'as qu'à t'encorder comme les autres.

— Même encordé, il y a du risque. On ne peut pas toujours travailler encordé, quelquefois il faut se défaire. Ça vaut bien 25 pour 100 de plus.

— Si tu demandes 25, c'est que tu penses que je te filerai à peine 15. Et moi je dis 10. C'est à prendre ou à laisser.

— 13.

— T'es un coriace, Moser. Tu as du pot qu'il pleuve et que je n'aime pas la pluie. Va pour 13.

— On se serre la main, monsieur Cisowski ?

— On fera ça quand on sera en bas.

Je l'ai aidé à se retourner et, comme deux limaces, on a regagné le bord de l'immeuble. Le chef de chantier tenait son casque à la main comme un premier communiant. Que je prenne l'ascenseur avec les trois Cisowski, il n'en revenait pas.

Pendant qu'on descendait, j'ai dit au vieux :

— Vous m'avez épaté, monsieur Cisowski. J'en connais pas beaucoup qui seraient venus négocier sur la poutrelle.

Le patron faisait oui de la tête pendant que ses vêtements ruisselaient. A ses côtés, ses deux fils ne l'ouvraient pas. Quand on est arrivés en bas, j'ai tendu la main au vieux comme convenu. Sans me regarder, il s'est tourné vers Igor et a dit :

— Fais le compte de ce type et fous-le-moi dehors.

LA VIE DES ABEILLES

Il y a six mois que je vis à l'asile. Je ne peux pas dire que j'y sois malheureux. Je reste la plupart du temps dans ma chambre, qui n'est pas très grande, mais me suffit amplement. Le haut plafond blanc accentue la perpétuelle sensation de froid que j'éprouve. Les radiateurs de fonte, sous les fenêtres, ne sont pas très efficaces. Au début, je m'en suis plaint au médecin. Il m'a répondu qu'un endroit où l'on dort ne doit pas être trop chauffé. Je n'ai pas souhaité prolonger cette discussion, mais je persiste à croire que quelques degrés supplémentaires amélioreraient mon confort. Matin et soir, on me dispense des soins. Des calmants principalement, sous forme de pilules ou de gélules. Au début, je me souciais de leur composition, puis, au fil du temps, je m'en suis désintéressé. Je prends ce que l'on me donne. En dehors des infirmiers et du psychiatre, je ne vois personne.

J'ai quarante-deux ans. Je perds de plus en plus mes cheveux. Je les trouve à mon réveil, morts, détachés de moi, étalés sur mon oreiller. A ce rythme-là, je serai bientôt chauve. Tant que je vis ici, cela n'a guère d'importance. Je sais que je ne reviendrai jamais à la vie normale, que je ne quitterai jamais l'hôpital. Je ne me souviens plus exactement pourquoi j'y suis entré. En fait, je crois que l'on m'y a interné de force. J'avais une famille. Une femme et trois enfants. Il me semble que ce sont eux qui m'ont conduit ici. Je n'arrive à me souvenir du visage d'aucun de ces quatre-là. S'ils entraient dans cette pièce, je ne les reconnaîtrais pas. Si l'on m'annonçait leur disparition, je l'enregistrerais comme une simple nouvelle du monde. Je n'éprouve plus aucun sentiment. Je ne m'en plains pas. L'autre jour, au cours de ma promenade, j'ai assisté à la mort d'un cheval. La bête qui appartenait à l'institution a été victime d'une sorte d'embolie. Je suis resté près d'elle jusqu'au bout, j'ai posé ma main sur son cou et j'ai attendu sa fin, accroupi. Autour de moi, des gens s'agitaient. J'étais le seul à conserver mon calme. J'ai bien observé les yeux du cheval dans ses derniers instants. Je n'y ai rien vu de notable.

La nuit, j'entends des cris qui proviennent de l'étage inférieur. Ce sont des cris perçants ; on les dirait poussés par des animaux. Je ne sais pas si ces malades souffrent. Une fois, j'ai demandé à un infirmier de m'expliquer pourquoi ces gens hurlaient. Il m'a répondu que c'était « parce qu'ils étaient méchants ». Cette fois encore, je n'ai pas insisté. Les soignants me parlent souvent comme si j'étais un enfant. Volontairement, ils utilisent un vocabulaire pauvre, comme si mes facultés de compréhension étaient diminuées. Ils ont tort. Je ne me suis jamais senti aussi lucide. Mon esprit est débarrassé de l'accessoire. C'est-à-dire des émotions, du limon de l'existence. Il n'est plus occupé que par sa fonction essentielle : gérer mon corps, en faire une économie éclairée. Il observe aussi. Mais sans émettre de commentaires ou de jugements. Il n'est plus parasité par les réactions affectives. Quand il voit mourir un cheval, il note chaque minute de cette agonie, avec une clairvoyance qu'il ne possédait pas auparavant.

Je ne lis plus qu'un livre, un seul : *La Vie des abeilles* de Maurice Maeterlinck, dans l'édition de 1947. Je me sens de plus en plus proche de ces insectes. J'ai parfois l'impression de vivre en eux, de participer à leurs tâches absurdes et millimétrées que décrit l'entomologiste : « Quand la plupart des abeilles qui forment le cône renversé ont le ventre galonné de lamelles d'ivoire, on voit tout à coup l'une d'elles, comme prise d'une inspiration subite, se détacher de la foule, grimper rapidement le long de la multitude passive, jusqu'au faîte intérieur de la coupole, où elle s'attache solidement en écartant à coups de tête les voisines qui gênent ses mouvements. Elle saisit alors avec les pattes et la bouche l'une des huit plaques de son ventre, la rogne, la rabote, la ductilise, la pétrit dans sa salive, la ploie et la redresse, l'écrase et la reforme avec l'habileté d'un menuisier qui manierait un panneau malléable. Enfin, lorsque la substance malaxée de la sorte lui paraît avoir la consistance et les dimensions voulues, elle l'applique au sommet du dôme, posant ainsi la première pierre ou plutôt la clé de voûte de la cité nouvelle, car il s'agit ici d'une ville à l'envers qui descend du ciel et ne s'élève pas du sein de la terre comme une ville humaine. Cela fait, elle ajuste à cette clé de voûte suspendue dans le vide d'autres fragments de cire qu'elle prend à mesure sous ses anneaux de corne, elle donne à l'ensemble un dernier coup d'antennes puis, aussi brusquement qu'elle était venue, elle se retire et se perd dans la foule. Immédiatement, une autre la remplace, reprend le travail où elle l'avait laissé, y ajoute le sien, redresse ce qui ne paraît pas conforme au plan de la tribu, disparaît à son tour, tandis qu'une troisième, une quatrième, une cinquième lui succèdent en une série d'apparitions inspirées et subites, aucune n'achevant l'ouvre, toutes apportant leur part au labeur unanime. »

Hier, j'ai parlé des abeilles avec le psychiatre. Je lui ai dit tout le bien que j'en pensais, combien j'admirais leur capacité de bâtir à partir du ciel. J'ai ajouté que leur grande force par rapport aux hommes était d'être dépourvues d'âme. Pour la lucidité, l'âme est une toile d'araignée. Le psychiatre n'est pas d'accord avec moi. Il ne me l'a pas dit, mais j'ai bien senti que la distance grandissait entre nous. Cela ne m'affecte pas. Je n'attends rien de cet homme. Ni guérison ni réconfort.

Ce matin, j'ai eu droit à une pilule supplémentaire. Une gélule bleue plus grande que les autres. J'ai demandé à l'infirmier si la poudre qu'elle contenait était censée régénérer mon âme, il n'a pas répondu.

Je me sens de plus en plus absent de moi-même. Comme si mon corps s'était vidé du superflu. J'ai aussi considérablement maigri. Cela me donne à penser que les sentiments alourdissent. Tous les jours, j'accomplis un certain nombre de tâches immuables avec des gestes presque automatiques. Je finis par bouger, par me mouvoir un peu comme je respire, sans m'en rendre compte, sans le vouloir vraiment. J'ai perdu la conscience exacte de la mort. Simplement parce que je n'analyse plus de la même manière l'espace et le temps. Les abeilles s'adonnent « au labeur unanime », sans consulter le ciel ni les pendules, sans songer à leur fin. La disparition d'une abeille n'a pas plus d'importance que celle d'un homme. L'une et l'autre sont anecdotiques et totalement insignifiantes.

Je me demande où ils ont conduit le cheval mort. Peut-être chez l'équarrisseur. Je pense qu'avant d'entrer ici j'aimais déjà les abeilles. Quand j'en trouvais une, épuisée ou agonisante sur le rebord d'une fenêtre, je la prenais et j'allais la déposer dans une fleur du jardin. J'espérais qu'ainsi elle retrouverait des forces, que le pollen la revitaliserait. Toutes celles que j'ai ainsi tenté de sauver sont mortes.

J'ai soif. Je bois un verre d'eau. Je ne peux pas dire que ce soit une action agréable. C'est simplement une chose que je fais quand je dois la faire.

Ce qu'il faudrait, c'est que le temps change. Qu'il pleuve. Je ne sais plus ce que je mange. J'ai perdu le goût des aliments. Le médecin m'a dit que c'était normal, que c'était dû aux médicaments qu'il me prescrivait. Je lui ai dit que je ne trouvais pas cela désagréable et qu'au contraire cette uniformisation me convenait et s'harmonisait parfaitement avec la monochromie de mon existence. Cela, encore une fois, a semblé l'agacer.

Je sens le froid me gagner, engourdir mes mains et mes pieds. C'est ainsi tous les soirs, dès le coucher du soleil. Je pourrais me réchauffer contre l'un des radiateurs mais, dans le fond, cela ne me paraît pas nécessaire. Les cris ont recommencé. Tout à l'heure, ils ne m'empêcheront pas de dormir. Je ne crois pas que les gens qui les poussent soient réellement « méchants ». Je pense qu'ils sont seulement dans une phase douloureuse de leur métamorphose. Ils sont en train d'arracher leur âme, de peler leur corps, de le réduire à l'essentiel. Ils souffrent pour sortir de leur chrysalide. Ils ne sont plus des hommes, et pas encore des insectes, S'ils parviennent à accepter le néant, à le comprendre et même à en goûter la plénitude, ils abandonneront sans peine le spasme de la vie. Ils trouveront même peut-être le courage de bâtir des « villes qui descendent du ciel et qui ne s'élèveront plus du sein de la terre ». Ils ignoreront pourquoi ils feront cela, mais ils le feront. Ils ne verront jamais la fin de l'ouvrage, car il n'y a pas de fin. Il leur restera le « travail unanime », le travail anonyme. Des gestes sans conséquence, sans implication, qui déboucheront sur une œuvre accomplie mais absurde, ridicule à l'échelle de l'espace ou du temps.

Je ne veux pas être surpris. Je veux être prêt quand le moment viendra. Je ne veux être alourdi de rien. Je veux que ma vie s'éloigne de moi comme une feuille se détache d'un arbre, parce que c'est la saison. Rien ne doit me retenir, aucun être, aucune chose. Je sais que personne ne me transportera dans le jardin quand j'irai très mal. Je n'ai à espérer le secours d'aucun pollen.

LA BALADE DE ROMERO

Il dit qu'il s'appelle Romero Rui Alvarez et qu'il encule son père et sa mère. Il gesticule sur son siège, on dirait qu'il a de l'eau bouillante dans les veines. Dans sa vieille Toyota, on voit la route défiler au travers du plancher. Sous ses fesses, il a glissé un coussin de laine rose brodé. Malgré cela, son visage arrive à peine au niveau des essuie-glaces et ses jambes courtes effleurent tout juste les pédales. Ses yeux jaillissent de sa tête comme des boulons. Sa bouche est sans lèvres, sa langue se faufile entre ses dents usées et sa moustache ressemble à de la barbe de maïs.

Il dit que son père est de Corpus Christi et sa mère de Monterrey, mais que ça ne change rien, qu'il les encule quand même tous les deux. Une dizaine de boîtes de bière vides roulent à ses pieds. Souvent son rire se termine en une fantasia de quintes et de crachats. Tout en roulant à plus de cent cinquante, Romero Rui Alvarez me regarde. Il me fixe et se met à hurler : « Assis comme ça, avec l'air que t'as, tu ressembles à mes couilles. » Alvarez est ivre. « C'est la première fois que je vois mes roustons assis à côté de moi sur le siège du passager. » La Toyota sent la bière. Au fil des kilomètres, Alvarez se calme, il semble lentement s'assoupir au volant. Juste avant que le sommeil ne s'empare de lui, il gare la voiture sur le bas-côté et grogne : « Vas-y, mes couilles, prends le manche et dérouille-moi cette bagnole de merde. »

Romero Rui Alvarez ne dit plus rien. Il dort et je conduis. Son visage est enfoui dans la fourrure synthétique qui recouvre les sièges. Il émet un râle épais, parfois rote et l'habitacle se remplit d'une odeur acide de bière. Les pédales de la Toyota sont mangées par la rouille, les coussins laissent gicler par endroits des abcès de mousse jaune. Même un chien du désert ne monterait pas dans cette voiture.

Romero Rui Alvarez se réveille et dit qu'il faut mettre de la bière à chauffer sur le tableau de bord. « Bois-la presque brûlante, ajoute-t-il, quand le soleil a bien tapé sur la boîte. C'est comme ça qu'elle est bonne. C'est Castro qui m'a appris ça. Lui, il trempe ses cigares dedans avant de les allumer. Tu savais ça, mes couilles ? » Romero rit, plié en deux dans la fourrure. Au-dessus de lui, accrochée au rétroviseur, se balance une grosse mouche de vinyle. « Accélère, merde, accélère ! » Romero vide boîte sur boîte.

Il dit que je suis le dernier des bâtards parce que je ne roule pas assez vite. Il me somme de lui rendre le volant. Il s'installe, débouche une nouvelle bière bouillante et enfonce la pédale de l'accélérateur à fond. Romero, majeur en l'air, insulte tous les conducteurs qu'il dépasse. Parfois il sort la moitié du corps par la portière et crache sur le pare-brise des voitures qu'il double.

Romero dit qu'il n'entend rien. Romero fonce. J'ai beau lui répéter qu'une voiture de police a déclenché sa sirène derrière nous, il ne ralentit pas. Au contraire. Il éperonne sa Toyota à lui déchirer les flancs. Ses yeux flamboient en fixant le rétroviseur. Sur le plancher, les boîtes de bière claquent des dents. Dans la voiture tout tremble.

Romero dit que maintenant il entend la sirène. Cela lui donne le fou rire. Il se triture le pantalon :

On va leur montrer qu'on en a un bon paquet dans les calcifs. » Chaque fois que la voiture de police tente de le dépasser, Romero la coince et l'empêche de doubler. Il pousse de petits cris et suce son majeur en le montrant aux flics par la portière. Romero a chaussé ses lunettes de soleil. Ça veut dire que ça va chauffer. La poursuite dure une bonne cinquantaine de kilomètres. Romero n'en finit pas de se gondoler et de cracher. Parfois aussi, il jette des boîtes vides sur ses poursuivants.

Romero dit qu'il en a assez, que ces cons aillent se faire foutre et gentiment il se range sur le bas-côté. Il débouche sa dernière bière et enlève ses Ray ban. Les policiers descendent lentement de leur voiture armés de deux fusils à pompe. Romero les insulte déjà par la portière. Romero me dit : « Je vais leur arracher les roustons. » On a chacun un canon devant le museau. Ils nous font sortir de la Toyota et coucher sur le capot pour la fouille. Romero hurle, traite les flics de tapettes et leur demande s'ils veulent qu'il baisse son froc pour mieux les exciter. La tôle du capot est brûlante. Les policiers demandent nos papiers. Romero dit qu'un espion cubain ne livre jamais son identité.

Un poulet me tire par le bras et me coffre dans sa voiture. J'entends Romero hurler : « Laisse mes roupettes tranquilles. Si tu touches à un poil de ce mec, je t'arrache les yeux. »

Les menottes au poing, assis sur la banquette arrière à côté de moi, Romero dit : « Vous ne pouvez pas aller plus vite, bande de suceurs de bidet ! Enlevez-moi ces saloperies de bracelets et je vous montre ce que je sais faire ! » Romero rit et crache par terre, sa tête bat dans tous les sens, son sang bouillonne.

Romero dit qu'on va pas moisir ici, qu'on va venir nous tirer de cette prison. La nuit est tombée. Romero Rui Alvarez regarde monter la lune.

Au milieu de la nuit, Romero bondit et s'accroche aux barreaux de la cellule. Il insulte le gardien, le traite d'alcoolique et de fils de pute. Il urine dans l'allée centrale. Son jet dru et brûlant fait un bruit de verre brisé en retombant sur le ciment. Romero Rui Alvarez hurle dans la nuit et exige que l'on avertisse l'ambassade de Cuba. Puis ses yeux de chien sauvage se posent sur moi et il dit : « Mes couilles, réveille-toi, j'ai pas sommeil. »

VOUS AUREZ DE MES NOUVELLES

Le jour se levait. Il était assis dans sa voiture garée le long du trottoir. Ses doigts tripotaient les stries du volant et ses yeux flânaient sur les inscriptions du tableau de bord. Il savait que le totalisateur kilométrique était hors d'usage et connaissait par cœur le chiffre qu'il affichait depuis des années. Il alluma une cigarette et entrouvrit la glace pour que la fumée puisse s'échapper de l'habitacle. Il était seul dans cette ville et avait devant lui la perspective de jours et de mois absolument vides. Il allait louer une chambre, dans un motel pas trop cher de la périphérie et tenter d'y prendre quelques habitudes. Avant de démarrer, il sortit de sa poche la lettre que lui avait écrite son fils deux jours avant qu'il ne meure dans un accident de la route. Il la relut en entier, calmement, jusqu'aux derniers mots qui disaient : « Bientôt, vous aurez de mes nouvelles. »

Il eut envie d'un café et de bien d'autres choses. Ses doigts lissèrent ses paupières comme pour en chasser tous les plis. Le manque de sommeil rendait ses membres douloureux. Il jeta sa cigarette, tourna la clé du démarreur et enclencha une vitesse. Lorsque sa voiture dépassa le carrefour, la lumière du soleil inonda l'habitacle.

MON HISTOIRE

Je n'ai jamais écrit que des livres sans grand intérêt. Peut-être parce que, au fond de moi, je fais partie de ces gens qui pensent que par temps de pluie un beau texte ne remplacera jamais une bonne paire de chaussures. C'est essentiel, une bonne paire de chaussures, c'est personnel, presque affectueux, et cela permet de traverser la vie les pieds au sec. Il ne faut jamais l'oublier. Hier soir, Léa m'a dit qu'il serait temps que j'écrive un vrai livre. J'ai demandé ce qu'était un vrai livre. Elle a répondu :

— Quelque chose d'un peu plus consistant que tes histoires habituelles où les gens n'ont d'autre préoccupation que d'attendre en réfléchissant à la mort.

J'ai fait oui de la tête et je me suis servi un verre. J'ai tant aimé cette fille qu'il m'arrive aujourd'hui d'être surpris d'éprouver pour elle autant d'indifférence. Au fond, je voudrais qu'elle disparaisse de chez moi, je voudrais ne plus la voir, ne plus l'entendre. Sa jeunesse et sa vitalité m'indisposent. Je n'aime pas sa façon d'appréhender les choses. Depuis plusieurs semaines, j'envisage mon suicide avec calme. L'idée de me supprimer ne m'effraie plus. Je n'ai pas encore réellement songé à la manière dont je pourrais mettre fin à mes jours. Pour l'instant, je me contente de me familiariser avec ce projet.

Il y a un an, ma sexualité s'est modifiée. J'éprouve désormais très peu de désir et pratiquement plus de plaisir. Curieusement, ce changement ne m'a pas affecté. Je n'ai même pas eu à l'accepter. Il s'est installé en moi, comme un état de fait, sans que j'aie à y réfléchir. Je ne crois pas que Léa en ait souffert. Elle voit très souvent des hommes de son âge. Elle ne me parle de rien. Et c'est bien ainsi.

Cette nuit, je n'ai pas dormi. J'ai regardé deux films en vidéo. *The Element of Crime* et *Le Ventre de l'architecte*. Dans le premier, un psychanalyste, avec un fort accent cairote, dit : « *Tell me the story, only the story, mister Fisher.* » Et le patient, d'une voix de pierre, répond : « *Water, water everywhere and not a drop to drink.* » Toute la journée, j'ai répété ce dialogue en essayant d'imiter chacune des deux voix. En m'entendant ainsi psalmodier, Léa m'a dit que je perdais la tête.

C'est curieux. J'ai au contraire la certitude que chaque jour qui passe m'apporte un surcroît de lucidité. Il me semble que je vois mieux la vanité et la dérision des gens, l'inconsistance et la fragilité des sentiments, l'artifice qui régit les unions, le ridicule des convictions. Je ressens tout cela comme un chien flaire une trace.

Le type du film a raison. L'eau est partout et pourtant, si l'on y réfléchit bien, nous n'avons pas une goutte à boire. *Water, water everywhere and not a drop to drink.* J'ai envie de répéter cela des heures durant, jusqu'à ce que mes lèvres n'aient plus la force de former les mots, jusqu'à ce que ma voix s'éteigne de fatigue. Alors peut-être quelqu'un me sortirait-il de mon épuisement en murmurant : « *The story, what is the story, mister Fisher ?* » Et alors je reprendrais tout, tout, depuis le début, depuis que la verge de mon père est entrée dans le ventre de ma mère.

Je suis certain que Léa ne serait pas affectée par ma disparition. Elle ne referait pas sa vie, simplement elle la continuerait. Avec un type aux robustes testicules pleins de gamètes vivaces. Ils s'accoupleraient avec la volonté de se reproduire et jetteraient un enfant à la vie comme un homme tombe à la mer. La naissance est aussi misérable et humiliante que la mort. *The story, mister Fisher, the story.* Justement, il n'y a pas d'histoire.

J'ai envie de me mettre à boire. Avec application et détermination. Comme lorsqu'on s'attelle à une nouvelle tâche. Comme lorsque, au printemps, on sort sa tondeuse pour procéder à la première coupe de la saison. J'ai envie de me mettre à boire sans but précis, sans cause ni raison, sans désir d'oublier qui ou quoi que ce soit. Il faudrait que j'aie suffisamment d'expérience et de lucidité pour me maintenir dans un état d'ébriété permanente qui me rende insupportable aux yeux des autres, mais ne me détache pas de la médiocrité ambiante. Je n'ai jamais perdu de vue la platitude ni la pauvreté de mon existence. On ne doit jamais perdre ces choses-là de vue.

Léa vient de rentrer. Elle a acheté une nouvelle robe qu'elle est venue me montrer. Je lui ai dit que ce vêtement lui allait très bien. En fait, c'était pour écourter notre conversation. Pour la voir sortir de mon bureau. Pour ne plus l'entendre. Je parle de moins en moins. Ce n'est pas que je sois dépressif, c'est seulement que je n'ai rien d'intéressant à dire. Mes entretiens avec

Léa ont un caractère de plus en plus utilitaire. Quand je la vois sur le point de sortir, je lui demande de me ramener des cigarettes ou des barres de chocolat. Le reste du temps, je préfère garder mes pensées pour moi. Ou pour mes livres qui manquent de *consistance*. Ne parlons plus des livres. Laissons-les pour ce qu'ils sont, des mots écrits, des paysages de chemin de fer.

J'aurais aimé être architecte. Parce que j'aime les maisons. Généralement, elles ont une vie bien plus longue que celle des hommes. Je me suis souvent demandé si les bâtisseurs construisaient avec l'idée que leur travail était voué au délabrement et à la ruine. Je crois que non. On n'édifie pas avec la conscience du délabrement. On ne fait pas un enfant en se répétant que l'on met au monde un petit mort. Non, on doit agir dans une sorte de transe et d'inconscience temporelle. Dès que l'on perd cet état de grâce, dès que l'on acquiert la perception aiguë de ses limites, de sa dimension dans l'espace et les années, on ne peut plus agir. Ni pour, ni contre. On attend. On se fige, on ne bouge plus, comme une bête aux portes de l'abattoir. Pour bâtir, il faut croire. Jamais je n'aurais pu être architecte.

Léa est enfermée depuis une demi-heure dans la salle de bains. Je n'entends aucun bruit de canalisation. Elle doit se regarder devant la glace dans sa nouvelle robe. Elle doit poser ses mains sur ses hanches et ses seins, plaquer ses paumes contre ses fesses, contrôler ses formes de face et de profil, et puis aussi inspecter l'état de ses dents. Léa est très fière de ses dents. Les miennes sont ternies par la nicotine. Il m'en manque quelques-unes. On peut très bien vivre avec des dents en moins, avec des dents jaunies. Comme je souris très rarement, cela ne se voit pas. Seule ma langue connaît l'état exact de ma bouche. Peu à peu, j'ai perdu l'appétit. Il me reste cependant un plaisir : fumer des cigarettes, sans compter. Fumer la nuit, fumer au milieu de l'insomnie est une chose extraordinaire. Fumer est une sorte de mépris de la maladie, la dernière nonchalance de ceux qui savent qu'ils n'ont aucune chance. Il y aurait beaucoup à dire sur la santé. La mienne a toujours été précaire. Je m'en suis accommodé malgré quelques moments de souffrance morale et physique intense. Finalement, une trop bonne santé est un peu comme une voiture neuve. Il faut laisser ce privilège aux parvenus. Léa est toujours en forme. Elle dort bien et longtemps. Et elle accepte avec sérénité ses petites affections passagères. Je n'admets pas cela. Je n'admets pas le plus petit refroidissement. La moindre fièvre me remplit à la fois de terreur et de haine. Léa ne comprend pas que je trouve la maladie humiliante. Je ne comprends plus Léa. Je suis même effrayé en pensant à ce que j'ai éprouvé pour elle. Comme l'alitement, il m'est toujours apparu que l'amour était un état de faiblesse, d'amoindrissement. Il gomme la lucidité et la clairvoyance. L'amour est un état de catalepsie où l'on perd le sens commun, où l'on abdique toute raison, toute dignité. Il faudrait un jour avoir le courage d'admettre que ce sentiment est un misérable dérivatif, un prurit glandulaire, un malentendu facteur d'erreur et de honte. Dans l'échelle des valeurs humaines, je place l'amour à un degré bien inférieur à la soif, la faim, le sommeil, la miction ou la défécation.

Léa est entrée sans frapper dans ma pièce. Elle a engagé une discussion confuse et hypocrite à l'issue de laquelle elle m'a reproché de lui gâcher sa jeunesse. Je n'ai pu me contenir.

— Toi et ta jeunesse, vous m'emmerdez, je ne peux plus vous supporter. La simple idée que tu respires dans cette maison m'exaspère. Je dors de moins en moins pour reculer l'instant où je devrai m'allonger dans le même lit que toi. Pour moi, tu es devenue un insecte, une mouche. Quand tu te poses quelque part, je te regarde te lisser les pattes et je me dis : tiens, revoilà la mouche, revoilà cette merde de mouche. Va te faire foutre avec ta jeunesse.

Léa est partie. Elle a fait sa valise et m'a jeté une poignée de portemanteaux au visage avant de sortir. Aucun ne m'a atteint. Maintenant, je vais pouvoir écrire tranquillement. Je vais pouvoir tout reprendre au début et m'en tenir à l'histoire sans être dérangé par des pensées parasites ou le bruit des insectes. Tout cela est fini. Je ne sortirai plus. Je resterai seul dans ma pièce. Je sais que je peux faire cela.

Je disais donc que l'amour est un état subalterne. Seule la rencontre en elle-même conserve à mes yeux un intérêt réel. Chaque partenaire d'un couple devrait établir, dans un cadre spatio-temporel, un tracé de sa vie entière jusqu'à l'instant où il entre en contact avec l'autre. On verrait alors apparaître dans ce graphique la dérive hasardeuse de deux existences qui, au fil des ans, s'éloignent et se rapprochent avant de se joindre. L'image de ces parcours erratiques, de ces cheminements improbables, symboliserait de façon tangible le cours aléatoire et l'implacable fluidité des destins. Nous ne faisons que rebondir comme une boule de flipper dans une gigantesque farce atomique. Un amoureux n'est qu'un électrocuté.

Si l'on veut à tout prix nous coller deux par deux, c'est sans doute parce que, ainsi, nous sommes plus faciles à compter. C'est cette façon de voir les choses que ne supportait pas Léa. Elle prenait cela pour de l'affection et ne croyait pas à ma sincérité. J'ai souvent essayé de lui expliquer que je n'interprétais rien, que je me contentais de lui décrire la réalité. Elle me trouvait déprimant. Alors, peu à peu, à mes yeux, elle est devenue une mouche.

Je suis heureux d'avoir décidé de ne plus sortir de ma pièce. Heureux d'avoir chassé l'insecte. Je vais désormais pouvoir m'en tenir à l'histoire. Strictement.

Mon nom est Fisher. Et pour moi seule l'histoire compte.

Dans le ventre de ma mère, il y a de l'eau. De l'eau partout et pas une goutte à boire. J'attends. J'attends le moment où il faudra vivre. Pour l'instant, je ne suis qu'une boule de chair nourrie d'un peu de sang. Parfois je pense que pour me déloger d'ici il faudra faire appel à ces chiens qui aiment à extirper les renards de leur terrier. Il enfoncera sa gueule entre les jambes de ma mère et je verrai ses crocs, sa gueule immonde, les poils collés sur sa peau tendue. Je le verrai aller et venir dans cet étroit couloir, appliqué comme un laquais servile, fidèle à ses maîtres. Une, à la rigueur deux tentatives seront suffisantes pour qu'il me tire à la vie entre ses dents. Alors je ne m'appartiendrai plus, je deviendrai locataire de mon corps. Avec un terme à régler et l'espérance d'un bail emphytéotique. Le chien est un animal domestique. Le chien est un animal de merde.

Personne n'a le droit de me conduire là où je n'ai plus le désir d'aller. Ni un chien ni une mouche. J'ai chassé la mouche. Si un jour l'occasion se présente, je tuerai le chien.

Je n'ai plus à justifier ma logique, ma façon de rapporter l'histoire. Je n'ai plus de comptes à rendre à partir de cet instant. Ni du point de vue du sens, ni du point de vue de la chronologie.

1900. *Sun Yat-sen fonde le parti socialiste révolutionnaire chinois.*

1910. *Claude Debussy écrit le premier livre des* Préludes.

1920. *Hans Poelzig commence la construction de la Festspielhaus de Salzbourg.*

1930. *Rafael Trujillo prend le pouvoir en République dominicaine.*

1940. *Ludwig Mies Van der Rohe commence le plan d'ensemble de l'Illinois Institute of Technology.*

1950. *John Huston tourne* Quand la ville dort.

Heidegger écrit Les Chemins qui ne mènent nulle part.

Je vois le chien. Je ne vais pas me débattre. Il veut m'arracher à moi-même. Il a été dressé pour ça.

1960. *John Fitzgerald Kennedy est élu à la présidence des États-Unis d'Amérique.*

1970. *Mort de John Dos Passos.*

1980. *Mort de Steve McQueen, Jean-Paul Sartre, George Raft, Henry Miller et Mae West.*

1990. *J'ai devant moi cinquante-six gélules de chlorhydrate de propranolol dosées à cent soixante milligrammes chacune.*

What is the story, mister Fisher ? Je n'ai pas à vous raconter mon histoire. Je n'ai rien à vous dire. Je vais me taire. Ne plus écrire et ne plus parler. Seulement attendre. Je n'ai plus d'ordre à recevoir. Je ne prétends à aucun royaume. Je laisse tout en l'état. Je ne casse rien. Je me demande seulement qui, du chien ou des mouches, infestera mon corps.

Mister Fisher ? Je ne réponds pas. Je fais celui qui n'entend pas. Je sais ce qu'il attend de moi. Il veut mon histoire. Mais mon histoire m'appartient.

LE TEMPS QUI MANQUE

Il était assis par terre et regardait l'eau dans la cuvette des toilettes. Elle était claire et propre. Il releva la manche de sa chemise et y plongea la main. Il laissa flotter ses doigts à la surface puis les immergea au plus profond du siphon. Lorsqu'il tira la chasse, ses phalanges furent brassées par les remous. Il n'éprouva aucun dégoût à toucher l'émail blanc et froid. De sa main libre, il prit une cigarette dans sa poche et l'alluma. Il demeura ainsi, immobile au sol, un bras pendant dans la cuvette, fumant dans la pénombre de la salle de bains et songeant au temps qui passait, au temps qui toujours lui manquerait.

MARGARET

Margaret buvait ses daïquiris. Elle pouvait boire ce qu'elle voulait, oui, avec les fesses qu'elle avait, elle pouvait bien s'envoyer ce qu'elle voulait. J'étais assis au bar à côté d'elle et je sifflais une bière, une Michelob bien fraîche. Margaret portait une robe noire décolletée. Elle avait une poitrine qui menaçait de faire craquer le tissu à chaque inspiration. On s'est mis à parler de choses et d'autres, tous les deux. Elle m'a dit, je me rappelle, que j'avais une drôle de touche. Je lui ai demandé ce qu'elle entendait par là. Elle a ajouté que j'étais fringué comme un as de pique. J'ai pris ça à la bonne. De toute façon, avec les fesses qu'elle avait, elle pouvait me raconter ce qu'elle voulait, je n'allais pas me mettre en rogne. Avec cette fille-là, je sentais qu'on ne devait pas s'ennuyer, si vous voyez ce que je veux dire. Alors j'ai pris mon temps, j'ai commandé une autre bière et je lui ai payé un de ces cocktails dont raffolent les péquenots, avec du sucre sur les bords du verre et une sorte de parasol pour remuer le tout. Elle trempait ses grosses lèvres rouges dans l'alcool et ensuite les léchait avec sa petite langue rose. C'était dégueulasse, mais ça me plaisait. Elle m'a demandé ce que j'avais comme voiture. J'ai répondu :

— Un cabriolet 69.

Ça l'a fait rigoler.

— Qu'est-ce qui te fait marrer ?

— L'année de ta bagnole.

— Et alors ?

— 69, hi, hi, c'est une bonne année. Ça ne m'étonne pas qu'un type comme toi ait une 69. Ça te ressemble bien, une 69. C'est un bon chiffre, tu comprends. Quand tu le retournes, ça fait encore 69. Ça marche dans tous les sens. Même tête-bêche. Moi j'avais un copain qui disait toujours : « 69, essuyez les moustaches. » Remarque, il disait ça et il n'avait même pas de moustache. Par contre, qu'est-ce qu'il avait le torse velu ! Moi, j'appelais ça sa « fourrure ». J'y disais : « Avec la chaleur qui fait, comment tu peux garder ta fourrure, hi, hi. »

Quand on a eu fini nos verres, on en a commandé deux autres. J'ai fait le type qui a tout son temps, mais j'avais pas l'intention de biberonner toute la nuit. Sans compter que l'addition commençait à taper.

— Tu dois être le genre de gus à pas aimer les collants. Mon ancien copain, il m'interdisait d'en mettre. Il disait que c'était pas hygiénique. Tu penses comme lui ?

— Ton copain, il connaissait la vie. Et tu mettais quoi alors ?

— Rien.

— Comment ça, rien ?

— Rien, rien.

— Merde ! Et là, t'as rien, rien ?

J'avais les yeux rivés sur ses fesses à peine écrasées sur le tabouret.

— Que dalle.

Je vidai ma Michelob d'un trait et m'éclipsai aux toilettes. Avant de sortir, je me savonnai la queue dans le lavabo, l'essuyai avec du papier et tirai la chasse.

— Tu en as mis du temps.

— Excuse-moi.

— Je parie que t'es allé te machiner.

— Tu es malade ou quoi ?

— Les hommes se machinent tout le temps. Un autre copain, pas celui qui voulait pas que je mette des collants, un autre, il se machinait même en voiture, même en conduisant. Il disait que ça le relaxait.

— Tu as eu de drôles de copains.

— Je ne trouve pas.

Je me balançais sur mon tabouret en fumant une Winston paquet souple. J'ai jamais pu blairer les rigides. Chaque fois que je le pouvais, je plongeais les yeux dans le décolleté de Margaret. Il y avait à faire là-dedans, bon Dieu oui. J'aurais bien fourré mon nez au milieu de ses deux énormes pamplemousses. J'avais le temps, la soirée commençait à peine. Elle commanda un autre cocktail. Un truc bizarre que je connaissais pas. A voir le nombre de bouteilles que le barman attrapait pour remplir le verre, ça devait coûter une fortune. J'ai tiré une bonne barre sur ma Winston et je l'ai écrasée dans le cendrier. Margaret m'a dit qu'elle revenait et s'est tirée aux chiottes. Quand elle est revenue près de moi, j'ai dit :

— Tu es allée te tripoter toi aussi ?

— Ce que tu es grossier !

Je la trouvais plutôt gonflée. Elle a dit :

— C'est quoi ton acteur favori ?

— Al Pacino.

— Il me plaît pas. Il est trop petit. En plus, il a une gueule de métèque.

— Moi, je l'aime bien.

— Moi, je préfère Clint Eastwood. Lui, c'est un vrai mec. On sent qu'il a ce qu'il faut là où il faut. On va faire un tour dans ta 69 ?

En me levant, je me suis discrètement assuré que j'avais bien ce qu'il fallait là où il fallait, j'ai payé un sacré paquet et on est sortis. On est montés dans mon vieux cabriolet et on a traversé la ville. La nuit était tiède. On a roulé un bon moment vers le lac. Des éphémères et tout un tas de bestioles s'écrasaient sur le pare-brise et éclataient comme des grains de raisin. La lune était haute et pleine. J'ai pris un petit chemin de terre et on est arrivés au bord de l'eau. J'ai coupé le contact et éteint les phares. J'ai allumé une Winston et tiré dessus comme un malade. Margaret arrangeait ses cheveux embrouillés par le vent de la vitesse. Elle a dit :

— Mes copains, ils ne m'ont jamais amenée au bord du lac.

— Peut-être qu'ils n'aimaient pas l'eau.

— Non, avec eux, c'était à la piaule tout de suite. Ils ne traînaient pas. Pas le temps de discuter, au plumard illico. Toi, tu es plutôt du genre à discuter.

— Faut pas exagérer quand même.

— Tu veux qu'on se baigne ?

— Pas la nuit. J'aime pas ça. On ne voit pas dans l'eau et si quelque chose te frôle, tu ne sais pas ce que c'est.

— Tu es trouillard ? Et lui, il est trouillard ? ajouta-t-elle en insinuant ses doigts dans ma braguette.

L'instant d'après, elle enjambait le levier de vitesse et s'asseyait sur moi à califourchon. Sa langue léchait mes lèvres et mes dents, son ventre se frottait contre le

mien. En rythme régulier, ses fesses, ses fesses miro-
bolantes s'écrasaient contre le cercle du klaxon. Les
plaintes de l'avertisseur déchiraient la nuit.

— On dirait que je lui fais de l'effet, à ta 69.

— Pas qu'à elle.

— T'as l'air d'avoir un sacré engin.

— Il se défend.

— Moi, je vais me baigner.

D'un bond foutrement agile, elle sauta par-dessus la
portière, enleva sa robe comme on retire un pull et
plongea dans l'eau noire. Je restai comme une bille
assis derrière mon volant avec mon bâton qui se
demandait ce qui se passait. Margaret nageait comme
une passoire. On aurait dit un noyé qui se débattait.
J'allumai les phares et l'aperçus dans leur pinceau. Elle
commençait à me gonfler. Au bout d'un moment, elle
est sortie de l'eau. J'allai chercher dans la malle une
vieille serviette.

— Elle sent pas très bon, j'ai dit, il y a un moment
qu'elle est derrière.

— On fera avec.

Elle s'essuya partout avec minutie, s'assit sur le capot
encore tiède et se roula contre la tôle pour se réchauffer. J'essayais de saisir au vol une fesse ou un sein, j'essayais d'attraper quelque chose, mais elle remuait tout
le temps. J'arrivai enfin à l'immobiliser contre une aile
et lui fourrai ma langue entre les jambes. Elle se laissa
faire un moment puis se redressa.

— Fous-moi une danse.

— Quoi ?

— Mets-moi une trempe.

Je passai une main dans mes cheveux et me laissai
tomber à genoux.

— Pourquoi tu veux une trempe ?

— Parce que j'aime ça.

— Tu aimes les coups ?

— C'est ça.

Il me sembla que dans le lac tous les poissons se marraient, que les arbres, la lune et les étoiles se foutaient de moi. Mon bâton me tiraillait dans tous les sens.

— Quel genre de coups ?

— N'importe quoi. C'est pas à moi de te le dire. Si je te le dis, ça ne me fait plus le même effet. Il faut que tu me dérouilles comme une traînée.

Je lui allongeai une petite gifle.

— Tu te fous de moi ? Je t'ai dit une torniole. Une vraie.

Je marchai jusqu'au lac, l'abandonnant, ses fesses, ses incroyables fesses, au chaud, sur le capot. Les mains dans les poches, je revins vers elle.

— Je ne peux pas faire ça.

— Pourquoi ? Tu crois en Dieu ?

— Ça n'a rien à voir.

— Si, ça a à voir. Le dernier type qui a refusé de me frapper, c'était un protestant. Il m'a expliqué qu'avec la religion, tout ça, il n'avait pas le droit de me cogner. Preuve que ça a à voir.

— Je ne crois pas en Dieu, mais j'ai pas envie de te cogner.

— Alors, c'est que tu es une tapette.

— Arrête de dire des conneries.

— J'en suis sûre. Tu es une tantouse, un de ces types qui vont se faire sucer dans des bains de vapeur par des moustachus. Je suis sûre que tu es comme ça, une lopette qui aime se faire masser par des nègres huileux. Ou alors tu es un impuissant.

Elle jacassait comme un mainate avec sa voix nasillarde, les jambes écartées, les seins arrogants, les mains en arrière plaquées sur le capot.

— Montre-moi que tu n'es pas une pédale, vas-y, montre-moi !

Je sentais monter en moi quelque chose comme de la vase. La première gifle est partie contre mon gré. Un éclair. Un coup de carabine. Margaret l'a prise en pleine poire et a basculé de l'autre côté du capot, ses jolies jambes en l'air. Elle s'est redressée et avec un regard de malade, elle a grogné :

— Détruis-moi, nom de Dieu, casse-moi en deux.

Pour la seconde baffe, je me suis appliqué. Comme au tennis. J'y suis allé avec tout le poids du corps. Ma main a claqué sur son visage comme un coup de feu. Ensuite, je ne lui ai pas laissé le temps de se relever. Je lui ai lancé un violent coup de pied dans ses sublimes fesses. Elle criait des choses incroyables, des choses à faire rougir le diable. Et plus elle gueulait, plus je l'alignais. Je la bousculais et elle tombait. Chaque fois qu'elle tentait de se remettre sur ses pieds, je la plaquais au sol d'un coup de talon. Quand elle fut au bord du lac, je la pris par les cheveux et lui enfonçai la tête sous l'eau. Je devenais fou. Quand son visage émergeait, elle disait :

— Putain de Dieu, jamais, jamais on ne m'a fait ça !

Et je la replongeais dans le lac. Enfin elle se dégagea et courut jusqu'à la voiture. Elle s'allongea sur le capot, ses fesses, ses adorables fesses pointées vers la lune et supplia :

— Fouette-moi, maintenant ! Maintenant !

Je pris la première branche que je trouvai et lui donnai ce qu'elle réclamait. A un moment, elle poussa un cri terrible, un cri qui me glaça le sang et qui fit taire tous les animaux de la forêt, un cri comme je n'en avais jamais entendu. Tous les muscles de son corps se relâchèrent et le calme revint. Dans le silence, je pouvais entendre les truites qui sautaient dans le lac et les craquements du moteur qui finissait de refroidir.

J'étais debout face à ce corps immobile et meurtri, debout avec ma branche entre les doigts. Margaret se tourna vers moi et dit :

— Jamais je n'avais pris une danse comme ça, quelle valse !

— Je suis désolé, je ne sais pas ce qui m'a pris.

— Tu as été formidable.

— Bon Dieu, je n'avais jamais fait ça avant.

— Tu as des dispositions, je peux te le dire, de sacrées dispositions. Un type comme toi, c'est rare.

— C'est parce que tu m'as mis en rogne.

— Non, mon poulet, tu es un cogneur et crois-moi je sais les reconnaître.

— Mais je n'aime pas ça !

— Peut-être, mais tu sais donner. Tu as un Kleenex ? J'ai la lèvre qui saigne.

Encore tout troublé, j'allai lui chercher un mouchoir dans la boîte à gants. Elle s'essuya la bouche puis se rhabilla. Bien campée sur ses talons, elle s'avança vers moi et dit :

— Maintenant je vais m'occuper de toi.

— Ce n'est pas la peine. Je n'ai plus la tête à ça. Tu as eu ce que tu as voulu, c'est ce qui compte.

Elle se colla contre moi, me lécha le cou et commença à trafiquer dans mon pantalon. Elle avait beau connaître tous les dossiers, tous les trucs, je restais aussi impassible qu'un pêcheur à la ligne.

— Il n'y a plus rien ! Ton machin, il est aux abonnés absents.

— Je te l'ai dit, je n'ai plus la tête à ça. Ça m'a tout coupé, ton affaire.

— Déshabille-toi, je. vais te mettre une branlée, ça va te remettre les idées en place.

— Parce que tu fais les deux ? Tu reçois et tu donnes ?

— Sado-maso, ça s'appelle, couille molle. C'est pas possible d'être les deux, il paraît. Moi, je peux te dire que c'est possible. Déshabille-toi, tu vas voir.

— Non, c'est bon pour ce soir. Tu ne tireras rien de moi et j'ai pas envie de me faire tanner.

— Tu as tort. Enfin, merci quand même. On rentre ?

Elle fumait une de mes Winston. L'air tiède lui séchait les cheveux. Je conduisais avec prudence. On ne parlait pas. Les phares des voitures que l'on croisait éclairaient nos visages. Sa lèvre inférieure était légèrement tuméfiée.

On s'arrêta devant notre bar. Il n'y avait plus de place au comptoir, alors on s'installa à une table. Elle commanda un cocktail et moi une bière. On sirota nos verres en parlant des petits boulots qu'on était obligés de faire l'un et l'autre pour s'en sortir.

— Des soirées comme celle-là, ça fait du bien, dit-elle. On ne pense à rien, ça détend.

— Tu n'as jamais essayé de te détendre d'une façon plus douce ?

— Si, mais avec un truc entre les jambes et un type sur le ventre qui me lèche l'oreille, je m'emmerde.

— Tu es une drôle de fille.

— C'est comme ça. C'est vrai que tu n'avais jamais fait ça avant ?

— Jamais.

— Si tu veux, on pourra recommencer.

— Je ne crois pas.

Margaret trempa ses grosses lèvres dans son verre et haussa les épaules d'un air désabusé. Elle se leva et je vis ses seins somptueux ballotter dans sa robe.

— Bon, eh bien salut et merci pour tout. Tu es sûr que je ne peux rien faire pour toi ?

— Sûr. Ça a été une expérience au poil.

— Tu sais, j'aurais bien aimé m'occuper de ton machin.

— C'était pas son soir.

Sa bouche aspira la mienne et déposa sur mes lèvres de la poudre de sucre. Elle s'éloigna et je vis ses fesses, ses stupéfiantes fesses, danser dans l'air comme deux nuages d'orage. Au moment où elle quitta le bar, je sentis mon machin sortir de sa torpeur.

DERNIER SERVICE

Je m'appelle Steiner, David Steiner. Je suis entré dans la fonderie Zeiler en 1979. J'occupais alors le poste de responsable des ventes à l'étranger. Dans l'organigramme de l'entreprise, j'étais le seul directeur à ne pas faire partie de la famille Zeiler. Tout en haut de cet arbre généalogique, au sommet de cette pyramide d'argent et de pouvoir, il y avait Alfred Zeiler. Être admis à un conseil d'administration de la fonderie équivalait d'une certaine façon à rentrer dans la famille. Cette réunion se tenait au dernier étage des bureaux de l'usine. De petites plaques de cuivre vissées sur une immense table en loupe d'orme matérialisaient les positions immuables de chacun. Au fond, le grand fauteuil de cuir d'Alfred Zeiler. A sa droite, celui de sa sœur aînée Emma, roide et méprisante jusque dans le regard. Plus loin, on trouvait Hélène, la sœur cadette d'Alfred, veuve d'un professeur qui ne mit jamais les pieds dans cette salle. A la droite d'Hélène, Jean, le fils aîné d'Alfred, au sourire veule, aux yeux fuyants. Et enfin, tout au bout de cette partie de la table, Edmond, le jeune frère de Jean, qui était surtout réputé pour son pouvoir de séduction et ses grandes capacités sexuelles. Son père l'appelait le bouc.

De l'autre côté de l'immense bureau, à gauche d'Alfred Zeiler, était assis son frère Nathan. C'est lui qui dirigeait l'usine lors des absences d'Alfred. A sa droite, son fils Victor. Des « jeunes » héritiers, celui-ci était le plus impliqué dans l'affaire. Alfred ne se cachait pas de considérer son neveu comme le futur patron. Les deux hommes se voyaient souvent, même les week-ends. La dernière des Zeiler s'appelait Anna. Elle était la sœur cadette de Victor et assistait aux conseils par devoir, sans jamais prendre part aux discussions. Sa beauté éclatante l'en dispensait. Elle était la seule à porter des tailleurs clairs dans cette procession de flanelles grises.

Je me souviens parfaitement du jour où Alfred Zeiler me présenta à la famille. En fait, tout le monde me connaissait, mais j'étais le premier non-Zeiler à siéger dans cette salle. C'était un jour de l'automne 1981. Alfred ouvrit la séance et dit :

— Pour ceux qui l'ignoreraient encore, je précise que, depuis hier, M. Steiner n'est plus responsable des ventes à l'étranger. Je lui ai demandé de devenir mon secrétaire particulier. C'est à ce titre qu'il participera désormais à chacune de nos réunions. Il ne siégera pas à la table, mais demeurera à la place qu'il occupe actuellement, c'est-à-dire à mes côtés. Pour plus de confort, nous lui ferons à l'avenir installer un petit guéridon sur lequel il pourra prendre des notes ou disposer ses dossiers. Des questions ?

— C'est la première fois qu'un étranger participe au conseil, dit Emma. Peux-tu nous garantir, Alfred, la fidélité et la discrétion de ce M. Steiner ?

— Ma chère amie, reprit Alfred, je trouve ta remarque blessante à la fois pour M. Steiner et pour moi-même.

— Pardonne-moi, Alfred, mais il me paraît indispensable que chaque membre de la famille soit éclairé sur les attributions exactes de ton nouveau secrétaire. Sa présence, ici, nous trouble un peu tous, je l'avoue. Êtes-vous juif, monsieur Steiner ?

— Oui, madame.

— Vous n'ignorez pas que notre famille est d'origine allemande et que quelques-uns de ses membres ont, pendant la guerre, pris, disons, certaines options. N'en éprouvez-vous pas aujourd'hui encore une certaine rancœur ?

— Ma pauvre Emma, tu es grotesque, tonna Alfred.

— Pouvez-vous répondre à ma question, monsieur Steiner ? continua Emma sans se préoccuper de la colère naissante de son frère.

— Il ne répondra pas, car il n'a pas à répondre ! hurla Alfred en tapant sur la table. Les origines de M. Steiner ne regardent personne. C'est un homme de grande capacité dont j'apprécie les services. J'ai une confiance totale en sa loyauté et cela doit vous suffire. A dater d'aujourd'hui, chacun de vous devra passer par lui pour me joindre. C'est comme ça ! Juif ou pas !

Non, je n'oublierai pas mon premier conseil d'administration. Jamais, auparavant, je n'avais ressenti une telle hostilité, un tel sentiment d'exclusion. A partir de ce jour, les Zeiler m'ignorèrent. Ils passèrent effectivement par moi pour joindre Alfred, mais exactement comme l'on utilise un praticable boueux. En prenant soin de ne pas se crotter à mon contact, en me faisant sentir que ce n'était qu'un moment vaguement écœurant.

Je ne regrettais pourtant pas mon ancienne fonction. J'éprouvais un réel plaisir à côtoyer Zeiler, à participer à ses affaires, à ses négociations. Auprès de cet homme, j'étais convaincu de vivre l'une des ultimes aventures de l'épopée industrielle d'antan. Il sermonnait les ministres, tançait les députés, menaçait les banques et traitait ses ouvriers avec égard ou mépris, selon l'humeur. Il entretenait avec les délégués syndicaux des rapports ambigus et curieux. Tantôt il les flattait, tantôt il les rudoyait, jusqu'à l'insulte. A cette époque, de par ma fonction et mon extraction, j'étais plutôt proche des vues de Zeiler. Les ouvriers représentaient davantage à mes yeux une masse salariale qu'un groupe d'hommes.

Lors de ses déplacements, Zeiler utilisait une vieille Daimler noire. Le seul fait de se retrouver dans cette voiture le rendait volubile. Il me parlait de sa famille, critiquait sa sœur Emma pour sa cupidité, ses deux fils qu'il accusait de légèreté et de frivolité, et Anna qu'il jugeait trop voyante, trop provocante.

— Elle pourrait mettre des tenues plus discrètes quand elle se rend à l'usine. Bon Dieu, cette femme a un cul à briser des grèves.

Dans le fond, il aimait bien cette nièce qui arrivait toujours en retard à l'usine et dont les talons claquaient dans la cour comme des pétards. Elle s'occupait des relations avec la clientèle. Elle faisait cela très bien.

Au cours de nos voyages à l'arrière de la Daimler, Zeiler me parlait aussi de sa vie.

— Vous vivez avec une femme, en ce moment, Steiner ?

— Non, monsieur le président.

— Vous avez tort, Steiner. Depuis que je suis veuf, je ne suis plus le même homme. Je dors mal. Dans mon lit, la présence d'une femme me manque.

— Je comprends, monsieur le président.

— Depuis quand n'ai-je pas baisé, Steiner ?

— Je ne sais pas, monsieur le président.

— Mais si, vous le savez parfaitement. C'est vous qui m'avez commandé cette fameuse rousse que vous êtes allé choisir chez notre amie habituelle.

— Cela doit faire six mois, monsieur le président.

— Six mois, déjà. Il faudra qu'un de ces soirs vous me trouviez un peu de compagnie. Pour le choix, je vous fais confiance, Steiner.

— Bien, monsieur le président. Nous fixons un jour ?

— Vendredi. J'aime bien le vendredi, Steiner.

— Entendu.

Contrairement à ses homologues, Zeiler n'entretenait aucun rapport particulier avec son chauffeur. Il ne lui adressait même jamais la parole et exigeait que la vitre de séparation soit relevée au cours de ses déplacements. C'est moi qui réglais avec lui les problèmes d'itinéraire et ceux des haltes éventuelles. J'aimais ces trajets en Daimler, la profondeur et l'opulence des sièges, le paysage qui défilait en silence derrière les glaces remontées et la voix de Zeiler qui emplissait cet espace confiné.

J'étais au fait de toutes ses affaires. Parfois le président me demandait un avis sur un homme ou un marché. J'essayais de lui fournir une réponse objective, répugnant toujours à fonder mon point de vue sur l'intuition ou le sentiment.

— Steiner, vous êtes vraiment un type de dossiers. Bon Dieu, laissez-vous aller ! Quand je vous demande ce que vous pensez d'un homme, faites abstraction de son cursus ou de ses résultats. Ce que j'attends de vous, c'est que vous le sentiez, que vous le renifliez. Par moments, vous me rappelez mon frère Nathan.

Je savais que cette analogie, dans son esprit, n'était pas un compliment. Nathan Zeiler était un gardien de phare, pas un navigateur.

Une fois, c'était au printemps 1985, le téléphone sonna chez moi au milieu de la nuit. C'était Zeiler.

— Je vous réveille, Steiner ?

— Pas vraiment, monsieur le président.

— Je n'arrive pas à dormir. Je pense sans arrêt à ma mort. Vous pensez à votre mort, Steiner ?

— Cela m'arrive, monsieur le président.

— Et vous arrivez à supporter ça ?

— Non, monsieur le président.

— Bien. Bien. Pardonnez-moi de vous avoir réveillé, Steiner.

Pour la première fois, cette nuit-là, le président me parut vulnérable. Il fallait qu'Alfred Steiner eût senti quelque chose le frôler pour m'appeler à une heure aussi tardive. Le lendemain, il se montra aussi pugnace qu'à son habitude. Je ne fis jamais allusion à cette brève et curieuse conversation. Lui non plus.

Au début de 1986, Nathan Zeiler mourut d'une rupture d'anévrisme à son bureau. Il s'effondra pendant qu'il dictait un courrier à sa secrétaire. Le jour des obsèques, une délégation d'ouvriers apporta une gerbe sur sa tombe. Le lendemain de l'enterrement, Alfred Zeiler convoqua le conseil d'administration. Toute la famille, en tenue de grand deuil, était présente. Anna, une fois de plus, s'était fait remarquer par la profondeur de son décolleté. Sa peau blanche semblait jaillir de son tailleur noir. On voyait largement la naissance de son opulente poitrine. On pouvait penser qu'elle portait sa veste à même la peau. Chacun avait des mines graves, mais personne ne paraissait réellement peiné. Il me sembla qu'ils regrettaient davantage le gestionnaire que le parent. Alfred Zeiler dit quelques mots en mémoire de son frère et proposa que l'on désigne le jour même son successeur. Il n'y avait qu'un prétendant : Victor. Je n'ai jamais aimé le neveu de Zeiler. Il m'est toujours apparu trop brutal, trop cassant, trop sûr de lui. C'est à ses méthodes que j'attribuerai nos ennuis ultérieurs. Aujourd'hui encore, je ne pense pas m'être trompé. En tout cas, ce jour-là, Victor Zeiler, qui venait de perdre son père, gagnait une place de directeur général des fonderies Zeiler. Cette promotion compensa largement son chagrin. A l'issue du conseil, le président me demanda de passer à son bureau.

— Que pensez-vous de Victor, Steiner ?

— Il est jeune, monsieur le président.

— Ça veut dire quoi, il est jeune ?

— Qu'il lui faudra sans doute quelque temps avant d'acquérir la maîtrise de votre frère.

— Bon. Vous ne pouvez pas l'encadrer ? C'est ça, Steiner ?

— C'est beaucoup plus nuancé que cela, monsieur le président.

— Merci, Steiner. Dites-moi, ce soir, j'aimerais que vous vous arrangiez pour que je ne sois pas seul chez moi. Téléphonez à notre amie et allez me chercher quelqu'un. Occupez-vous de ça.

— Bien, monsieur le président.

1986 fut une année catastrophique. Les actions de la fonderie perdirent quinze points, les commandes diminuèrent d'un tiers, le chiffre d'affaires chuta vertigineusement et des troubles sociaux perturbèrent l'usine dès l'automne. Alfred Zeiler n'en semblait guère affecté. Au contraire. Depuis la mort de son frère, il avait changé. Il paraissait insouciant, voire absent. Certains jours, il n'arrivait qu'en fin de matinée à son bureau pour en repartir vers seize heures. On aurait dit que le président voulait goûter au temps qui lui restait à vivre. Victor prenait de plus en plus de place. C'était lui maintenant qui traitait avec les syndicats. Et, pour la première fois depuis 1968, il y avait eu deux grèves coup sur coup à la fonderie.

La seconde éclata au printemps 1988. Le conflit portait sur des sommes dérisoires que Victor Zeiler refusait de céder. En conseil d'administration, alors que la majorité de la famille plaidait pour la conciliation, il s'était montré d'une fermeté absolue, refusant la moindre négociation. Le président n'avait rien dit.

Le lendemain, les ouvriers rassemblés criaient des slogans sous les fenêtres de son bureau. A un moment, ils entonnèrent : « Alfred, au balcon, Alfred, au balcon ! » Zeiler qui les observait derrière ses grands rideaux de voile se tourna vers moi et dit :

— Vous les entendez, Steiner, ils me réclament. Ils m'aiment bien. Il est temps de revenir aux affaires.

Une heure plus tard, le président recevait une délégation des grévistes dans son bureau et les roulait dans la farine en leur accordant le quart de ce qu'ils réclamaient. Victor Zeiler reçut ce désaveu comme un camouflet.

C'est à l'automne 1988, date des premiers licenciements, que je commençai à me sentir franchement mal à l'aise. Dans la tourmente, les « jeunes » Zeiler se montraient encore plus féroces que leurs aînés. Victor, bien sûr, mais aussi Jean et Edmond prêchaient le massacre, le dégraissage à outrance, comme ils disaient. Emma les encourageait dans cette voie. Les autres femmes se taisaient et le président hésitait. Et puis un jour, sans que j'en fusse prévenu, à l'issue d'une réunion avec sa sœur Emma, ses fils et son neveu, Alfred Zeiler annonça aux syndicats que plus de la moitié de l'effectif de l'usine était licenciée. La liste fut affichée dans la cour. En la lisant, certains ouvriers pleurèrent. Le président me convoqua dans son bureau.

— Steiner, nous allons vivre des jours difficiles. Je veux pouvoir compter sur vous nuit et jour.

Devant mon manque d'enthousiasme, le président grogna :

— Qu'est-ce qu'il y a, Steiner ? Je vous connais, qu'est-ce qu'il y a, nom de Dieu ?

— Je pense que tout cela s'est fait brutalement, que tous ces gens vont se retrouver dans une situation difficile.

— Ma sœur avait raison, Steiner. Vous avez un côté juif pleurnichard. Qu'est-ce que vous vouliez que je fasse ? Que je laisse mon fauteuil à ces communistes ? Que je leur dise : Les affaires vont mal, je me retire, partagez-vous ce qui reste ? Non, Steiner ! Les Zeiler vivent à l'étage depuis toujours, ce n'est pas aujourd'hui qu'ils vont en descendre.

J'étais sorti du bureau du président, effondré. De toutes les horreurs qu'il avait proférées, je n'en retenais qu'une : « Juif pleurnichard. » J'en avais précisément les larmes aux yeux. Pourtant, je fus d'une grande lâcheté. Au lieu de quitter la fonderie, je demeurai au service de Zeiler.

Vers la fin de 1988, l'usine fut paralysée pendant plus d'un mois. Tout le personnel était en grève et occupait les locaux. Cela mettait Alfred Zeiler dans une rage indescriptible. A plusieurs reprises, il avait téléphoné à la préfecture pour qu'on envoie des CRS afin de déloger les grévistes. Le dernier entretien avec le représentant de l'État avait été particulièrement vif.

— Vous êtes un communiste, une saloperie de socialo-communiste, avait-il hurlé avant de poursuivre à mon intention : Ces salopards refusent de rétablir l'ordre, ils refusent d'envoyer les gardes mobiles ! Vous entendez, Steiner ?

— J'entends, monsieur le président.

— Sortez, Steiner ! Je sais ce que vous pensez. Avec votre air de chien battu, vous me dégoûtez ! Écoutez-moi bien, mon vieux, et vous pouvez aller répéter cela à vos copains syndiqués. Je sais qu'en bas ces salopards ont faim, je sais que Noël approche et que je les tiens par les couilles. Ils reprendront le travail avant la fin de l'année et moi je ne lâcherai rien ! C'est tout, Steiner.

Mes relations avec Alfred Zeiler se détérioraient. Je n'étais plus convié aux réunions, personne ne passait plus par moi pour joindre le président. Lui-même m'ignorait quand nous nous croisions dans les couloirs.

Début 1989, conformément aux prévisions de Zeiler, le travail reprit. Mais les avoirs de la fonderie étaient au plus bas. Pour la première fois, les Zeiler devaient rechercher l'appui des banques. A l'occasion de ces négociations, le président se rapprocha à nouveau de moi. Un jour, dans la Daimler, il me dit :

— Nous venons tous de vivre des mois difficiles, Steiner. J'ai parfois été un peu sévère envers vous. Il faut oublier ça.

— Je m'y efforce, monsieur le président.

— Vous êtes un bon juif, Steiner, un bon juif !

Et Zeiler éclata de rire. En voulant effacer sa première maladresse, il venait d'en commettre une autre. Curieusement, je n'en fus pas affecté. J'avais déjà rompu avec cette famille. Je savais que les Zeiler s'effondraient. J'attendais leur déchéance, sans impatience.

— Vous êtes une canaille ! Une vraie canaille ! hurlait Alfred Zeiler.

— Calmez-vous, président, la proposition que nous vous faisons est tout à fait réaliste, répondit calmement le banquier en jouant avec son crayon à papier rouge.

— Bouclez-la, Olsen ! Vous voulez rentrer chez moi, me chasser de l'usine !

— Absolument pas, monsieur Zeiler. Nous prenons simplement des garanties. Compte tenu de votre situation délicate, et des sommes en jeu, nous devons nous préserver, seulement nous préserver.

— Alors vous aussi, vous êtes avec ces socialo-communistes, vous avez décidé de nous crever ! Eh bien, je vais vous dire une chose, Olsen : on continuera sans vous et sans personne, comme par le passé.

J'ai assisté à cinq entretiens semblables. A chaque fois l'entrevue se soldait par des invectives de plus en plus violentes de la part de Zeiler. Les retours en Daimler étaient toujours silencieux. Un soir, à l'issue d'un nouvel échec, le président me demanda de le suivre dans son bureau.

— Est-ce que vous voyez une solution ?

Sans permettre à une banque de rentrer dans votre capital, non, monsieur.

— Vous pensez que nous avons commis une erreur, Steiner ?

— Plusieurs, monsieur le président.

— Très bien. Maintenant, je vais vous demander de sortir. Et dès que vous aurez franchi le seuil de cette porte, vous savez ce que je vais faire ? Je vais déboutonner mon pantalon et je vais me masturber, Steiner.

Les jours suivants, il régna au dernier étage des bureaux un climat irrespirable. Victor entrait comme un possédé dans le bureau de sa sœur Anna et ses insultes résonnaient jusque dans la cour de l'usine.

— Tu n'es qu'une putain ! Toute la ville t'est passée dessus ! Les relations avec la clientèle, ça te connaît !

Pendant ce temps, Jean et Edmond tramaient d'improbables solutions de dernière minute tandis qu'Emma faisait le siège du bureau de son frère en criant :

— Tu nous as mis dans le pétrin, c'est à toi de nous en sortir ! Débrouille-toi avec les banques ! Nous avions un patrimoine, nous devons le retrouver ! Je vais finir par croire que c'était Nathan, le vrai patron.

— Fous-moi la paix, rétorquait faiblement le président.

Seule Hélène, la veuve, que l'on n'entendait jamais, semblait garder son sang-froid. Un après-midi, Victor m'appela dans son bureau.

— Asseyez-vous, monsieur Steiner. Voilà, je sais par mon oncle que vous avez quelques appuis dans la banque. Ne pensez-vous pas qu'il serait temps de vous en servir ?

— Ils refuseront tous de lâcher quoi que ce soit sans contrepartie. La situation est trop précaire.

— Monsieur Steiner, j'ai toujours été opposé à votre promotion. Mon oncle n'avait pas besoin d'entretenir grassement un conseiller de votre sorte. Je trouve dans votre refus de coopérer la confirmation de mes craintes.

— Je n'ai aucun pouvoir ni aucune responsabilité dans cette affaire, monsieur. C'est votre situation qui pose problème auprès des banques, pas la mienne.

— Vous quittez le navire ? C'est ça ?

A cet instant, Anna entra sans frapper dans le bureau et se lança dans une longue et violente diatribe contre son frère. J'étais assis, je regardais Victor Zeiler se tordre de colère dans son fauteuil et je souriais.

L'usine était fermée. Il régnait encore une certaine activité dans les bureaux. Au dernier étage, celui de la famille Zeiler, on n'entendait plus que des cris, des hurlements et le bruit de portes qui claquent. Les ouvriers, conscients que la partie était perdue, se faisaient de plus en plus rares autour du piquet de grève. Les fonderies Zeiler étaient en train de s'éteindre à jamais.

Je continuais à m'y rendre. J'en éprouvais maintenant un plaisir trouble. Les Zeiler étaient tellement habitués à moi qu'ils ne se surveillaient plus. Chaque jour, de nouvelles scènes de famille éclataient, toujours plus avilissantes, toujours plus sordides. Chacun épluchait les comptes de l'autre, on remontait dans le passé de la famille, on se rejetait les responsabilités. Les vies privées, comme de la vase, se répandaient dans les couloirs. Muet, au milieu de ce déferlement d'invectives, j'observais.

— Vous les entendez ? Ils s'insultent comme des ouvriers ! me dit un jour Alfred Zeiler en entrant dans mon bureau. Vous avez toujours vos contacts chez notre amie ?

— Toujours.

— Alors, soyez gentil, c'est un des derniers services

que je vous demande, commandez-moi une fille pour ce soir, chez moi, neuf heures.

— Bien, monsieur. Dois-je aussi comprendre que les fonderies Zeiler cessent leur activité ?

— Comprenez plutôt que j'ai envie de tirer un coup. Au fait, Steiner, à force de vous appeler par votre nom, j'ai oublié votre prénom.

— David, monsieur.

— C'est bien ce que je pensais.

Vers minuit, le téléphone sonna dans mon appartement.

— David Steiner ? Oui.

— Alfred Zeiler. Tant pis si je vous réveille, mon vieux, mais je voulais que vous sachiez que la fille que vous m'avez choisie était un véritable puits d'amour. Vous avez l'œil, David Steiner. Comme tous les youpins libidineux. Elle m'a vidé les couilles. Vous m'entendez, Steiner ?

Il avait une voix de rogomme. Alfred Zeiler était ivre. Quand je raccrochai, il vomissait encore dans le téléphone. Le lendemain matin, je m'installai à mon bureau. En m'apercevant, Alfred Zeiler rebroussa chemin dans le couloir et, planté dans l'embrasure de la porte, lança :

— Alors ça ne vous suffit pas, Steiner. Vous venez en entendre davantage, c'est ça ? Vous voulez nous voir pourrir sur pied ? Vous avez raison. Aujourd'hui, vous allez être satisfait. Conseil d'administration dans la grande salle à onze heures. Je compte sur vous.

J'étais ponctuel. Ils le furent tous. Jean et Edmond n'étaient pas rasés et portaient le col de leur chemise ouvert. Hélène, pâle et propre, se taisait comme à son habitude. Anna resplendissait dans son tailleur vert.

Son cou était ourlé d'une large chaîne d'or. Emma, cernée, fatiguée, sans bijoux, arborait une tenue gris anthracite. Victor était méconnaissable. Vêtu d'un pullover déformé, le cheveu en désordre, mal rasé, l'œil fiévreux, il semblait en permanence au bord des larmes. Le président, lui, portait un de ses costumes de séance. Son teint rose tranchait avec la blancheur de sa chemise, Ses lèvres pinçaient une cigarette à bout filtre.

— Tu fumes, maintenant ? demanda Emma.

— Eh oui, je fume, ma chère sœur. Bien, nous voilà tous réunis. Je déclare donc la séance ouverte. Tout d'abord je vous livre un rapport sur mes dernières activités. Grâce à la diligence de M. David Steiner, j'ai passé la soirée d'hier avec une call-girl qui répondait au prénom ridicule d'Elvidia.

— Alfred ! Tu perds la tête ! coupa Emma.

— Je disais donc qu'après m'être fait pomper voluptueusement, j'ai baisé cette créature avec un certain bonheur.

— Alfred !

— Cette bagatelle m'a coûté deux mille cinq cents francs plus le petit cadeau, soit un total de trois mille francs. Je tiens à vous préciser que cette somme a été débitée sur mon compte personnel et non sur celui de la société.

— Alfred, je te prie de cesser cette mascarade. Tu es ridicule et répugnant.

— Moi je trouve au contraire oncle Alfred passionnant, intervint Anna.

— Tu vois, Emma, ma nièce me trouve passionnant. Bien. Cela exposé, je vous annonce officiellement la fin des fonderies Zeiler. Nous sommes en faillite totale et absolue.

— Qu'est-ce que tu veux dire, oncle Alfred ? demanda Victor.

— Je veux dire que c'est fini, triple buse, qu'on dégage.

— Et les banques ?

— On est trop bas. On est tombés trop bas. On n'intéresse plus personne.

— Tout est de ta faute, hurla Victor en se redressant. Tu as trop attendu, tu as refusé de négocier quand il était encore temps, tu nous a ruinés !

— Et le pire, pauvre imbécile, c'est que tu as sans doute raison.

— Ne me traite pas d'imbécile ! Tu n'as pas le droit de me traiter d'imbécile. Toi et ton juif, vous nous avez dépouillés.

— Vous entendez, monsieur Steiner ? Quelqu'un a-t-il une autre observation à formuler ?

— Alfred, tu es une canaille ! murmura Emma. Je vais me retourner contre toi, d'une manière ou d'une autre. Je vais t'enlever jusqu'à ta dernière chemise ! Tu as eu tort de nous narguer avec tes histoires de call-girl.

— Je déclare la séance close.

C'est alors que le président se tourna vers moi et, me prenant par le bras, dit à mi-voix :

— Satisfait, monsieur Steiner ? Je suis certain que vous n'en attendiez pas tant. Vous ne pensiez pas, malgré tout ce que vous avez vu et entendu ces derniers jours, que les Zeiler puissent descendre aussi bas.

— Franchement, si, monsieur le président.

Tous quittèrent la grande salle à leur façon. Théâtrale ou discrète, effondrée ou indifférente. Je restais seul devant cette immense table en loupe d'orme. Dehors, la cour de l'usine était déserte. Par la fenêtre, je vis le président monter dans sa vieille Daimler sans un regard pour le désastre qu'il laissait derrière lui. Le pot d'échappement de la limousine cracha une fumée bleutée et le véhicule disparut majestueusement derrière les murs d'enceinte. Je rangeai quelques affaires personnelles et quittai la pièce pour ne plus y revenir.

Vers six heures du soir, le téléphone sonna dans mon appartement.

— Steiner ? C'est Zeiler. Rendez-moi un dernier service. La fille d'hier, dites-lui de revenir ce soir.

VERNISSAGE

— Je pige rien à la peinture. Tout ce que je trouve joli, on me dit que c'est nul. C'est pour ça que je dis que je pige rien.

— Qu'est-ce que vous pensez de mes toiles ?

— Elles sont pas mal.

— Non, mais qu'est-ce que vous en pensez, vraiment ?

— Vraiment ? Vraiment, j'y pige rien.

— Ça me rassure.

Le peintre m'a planté là et est allé rejoindre une grappe de tantouses qui gigotait devant un de ses triptyques. Un sacré bout de fille s'est approchée de moi. Elle tenait un verre à la main. Elle portait des fringues bizarres.

— Vous êtes peintre ?

— Non.

— Critique ?

— Non, non.

— Vous faites quoi ?

— Chiropracteur.

— Chiropracteur ? Vous manipulez les gens dans tous les sens, c'est ça ?

— C'est ça.

— Mon Dieu, quelle horreur ! Comment pouvez-vous faire un métier pareil ? Qu'est-ce qu'un chiropracteur peut bien chercher dans une galerie ? Vous vous intéressez à la peinture ?

— J'y pige rien. Mais j'ai reçu une invitation, alors je suis venu.

— Il faut absolument que je vous présente à David. Daaviiiid ! Daaviiiid !

David, c'était le peintre qui m'avait branché quand j'étais arrivé et qui m'avait questionné sur ses toiles. Il s'est avancé en trottinant, les genoux serrés, les bras légèrement décollés du corps. Il tenait ses doigts écartés comme s'il faisait sécher du vernis sur ses ongles.

— David, il faut absolument que je te présente monsieur. Il est chiropracteur. C'est extraordinaire, non ?

— On se connaît déjà. Nous avons bavardé tout à l'heure. Mais je n'ai pas retenu votre nom, a miaulé la tapette.

— Je vous l'ai pas dit. Mon nom, c'est Gonzalez.

— Eh bien, monsieur Gonzalez, je suis ravi que vous soyez venu même si vous ne « pigez rien à la peinture ». J'ignore qui vous a invité, mais je trouve que c'est une excellente idée. Les gaaarçoooons ! Venez, venez vite !

Un troupeau de merdeux en costumes couleur pâte d'amande s'est approché de nous. On aurait dit des parfumeuses. Le peintre a dit :

— Je vous présente M. Gomez, non, pardon, Gonzalez, chiropracteur de son état.

Les tapettes se sont mises à gémir et à couiner, à se pincer, à se chuchoter des trucs à l'oreille. L'un d'eux a dit à sa copine : « Comme il est velu ! » Un autre a fait semblant de s'évanouir. Ils commençaient à me gonfler. J'étais pas une bête de foire. Je gagnais ma vie avec mes mains. Ça valait bien les saloperies qu'ils faisaient avec leur pinceau. La fille est venue à mon aide.

— Vous intimidez M. Gonzalez.

— Ils ne m'intimident pas. Ils me les cassent un peu, c'est tout.

— On les lui casse ! Vous avez entendu, les garçons ? On les lui casse un peu ! a hurlé David. C'est extraordinaire. Monsieur Gonzalez, on vous adopte. Vous allez être la mascotte de notre exposition.

— Oh ooouuuiii ! La mascotte, la mascotte ! ont repris en chœur les parfumeuses.

— C'est quoi, une mascotte ? j'ai demandé.

— Il est adorable, il ne sait pas ce qu'est une mascotte ! Une mascotte, monsieur Gonzalez, c'est un porte-bonheur, un fétiche.

— Qu'est-ce qu'il va falloir que je fasse ?

— Il est trop mignon. Mais rien, monsieur Gonzalez, ne faites surtout rien. Restez là avec nous et soyez simplement vous-même, soyez chiropracteur.

Les parfumeuses m'ont pris par le bras et m'ont conduit au bar pour me servir un verre. Il commençait à y avoir pas mal de monde. Je cherchais la fille bizarrement fringuée. Elle parlait avec des types. David faisait de grands gestes devant une de ses toiles. Elle était foutrement grande. Il n'y avait pratiquement rien dessus. Sauf, au milieu, une sorte de poireau bleu marine.

— Ça vous plaît ? m'a demandé une tantouse en bleu pâle.

— Je sais pas. Je vois pas ce que ça représente.

— David a voulu exprimer ce qu'il appelle « le principe Cadillac ».

— C'est quoi « le principe Cadillac » ?

— Un clin d'œil à Klein.

Le poireau, c'était ça. Ça me plaisait toujours pas mais ça commençait à me faire poiler.

— Et celui où il y a plein de taches vertes, c'est un clin d'œil aussi ?

— Exactement. A Jackson Pollock, cette fois. C'est du dropping.

L'oiseleur, en gigotant du croupion, m'a pris par le bras et m'a conduit devant la toile.

— Regardez ces impacts, David est un maître.

Des yeux, je cherchais la fille de tout à l'heure.

— Vous ne vous intéressez pas à ce que je vous raconte ?

— Si, si, vous disiez que votre pote est un maître.

— Visiblement, vous ne partagez pas mon point de vue.

— En fait, je m'en branle. J'y pige rien à tous ces trucs. Je vous l'ai déjà expliqué.

— Mais Bacon, Cornell, Rauschenberg, Blake, ça ne vous inspire rien, vraiment rien ? La peinture ne se « pige » pas, comme vous dites, elle s'éprouve. Je ne sais vraiment pas ce que David peut vous trouver. Vous êtes vraiment une drôle de mascotte, ma cocotte.

Mon guide a tourné les talons et je l'ai vu disparaître dans la foule avec son costume bleu. De dos, il avait une dégaine de poireau. Je me suis fait de la place jusqu'au bar et j'ai demandé au préposé de m'en servir un double. Je l'ai descendu sur place. Ensuite j'ai eu envie de me tirer. J'étais près de la sortie quand je me suis fait agrafer par la fille.

— Vous partiez ?

— Ouais. J'ai un petit coup de grisou.

— Venez avec moi, je vais vous remonter.

Elle m'a pris par la main et on a traversé toute la galerie. Je quittais pas ses cannes des yeux. Elle avait de
sacrés compas. A un moment, j'ai compris qu'elle
m'amenait aux chiottes des filles.

— Eh! j'ai fait. Moi, c'est l'autre porte.

— Ici ça n'a pas d'importance, entrez.

A l'intérieur, il y avait un peuple fou. Autant de
monde qu'au bar. Ça jacassait devant les miroirs et les
lavabos. Chacun y allait de sa reniflette. A croire qu'y
avait eu une distribution gratuite de coke à l'entrée. La
fille a sorti la sienne de son sac, l'a étalée sur sa main
libre et l'a pompée d'un coup de narine, un coup sec,
sans paille ni rien.

— Nom de Dieu, j'ai fait, vous avez un Hoover dans
le nez.

— A vous.

— Non, moi je touche pas à ces trucs-là.

— Vous rigolez ou quoi?

— J'ai pas besoin de ça.

— Comment vous arrivez à tenir le coup?

— De la viande, des carottes et beaucoup de sommeil.

— Vous devez être une sacré affaire au lit, elle a
ajouté en rangeant son petit sachet.

Autour de nous, des hommes et des femmes de tous
âges se mélangeaient les nez et les idées. Je trouvais ça
plutôt sympathique. Un peu ridicule aussi. On est sortis des toilettes des filles et j'ai demandé à mon hôtesse
de m'excuser deux minutes. Il fallait que j'aille faire
un tour chez les hommes. L'ambiance ressemblait à
celle d'à côté, sauf que là, il y avait deux types qui se
roulaient des pelles au-dessus de la cuvette.

— Excusez-moi, j'ai fait.

Les deux zigotos n'ont pas bronché.

— Je voudrais pisser, j'ai continué.

Ils se sont légèrement écartés de la lunette en continuant de s'embrasser. Ça m'embêtait de sortir mon engin devant eux. Je savais qu'ils allaient regarder. Ils ne se sont pas gênés. Du coup, j'arrivais pas à pisser. Ça sortait pas, rien à faire. Je ne me suis pas impatienté, j'ai pris mon temps. Évidemment, les autres, ils ont pris ça pour de l'exhibition ou je sais pas trop quoi et ça les a doublement excités. Finalement, je me suis soulagé. Au moment où je suis sorti, j'ai vu que le plus petit commençait à pomper le plus grand.

— On ne s'ennuie pas dans vos toilettes, j'ai dit à la fille.

— C'est le rituel des vernissages. Surtout quand c'est David qui expose. Ça vous choque ?

— Non.

Une parfumeuse est accourue vers nous en agitant ses petits bras osseux. Ses cheveux oxygénés partaient dans tous les sens. On voyait bien que notre ami venait d'être secoué.

— Il faut que je vous dise. Hugo vient d'acheter un Hockney. J'en suis encore tout chose, tout retourné. Vous vous rendez compte, un Hockney.

— C'est quoi, un Hockney ? j'ai demandé.

— Il est fou, mon Dieu, ce type est fou ! hurla la tantouse.

— C'est un peintre anglais, précisa la fille.

— Mais comment peux-tu parler à un toquard pareil ? Il faut vraiment que tu aies les hormones en bataille ! trépignait l'autre marteau. Mais alors vous ne connaissez rien, vous sortez d'où, vous êtes qui, c'est quoi votre nom ?

— Gonzalez, j'ai répondu. Manuel Da Silva Gonzalez.

— Encore un putain de métèque, a marmonné l'asticot.

J'ai fait celui qui n'entendait pas pour ne pas créer un incident, mais j'avais des fourmis dans les doigts.

— Et alors comme ça, dans votre brousse, monsieur Manuel Da Silva Gonzalez y Sanchez y Ramirez et tout le reste, on n'a jamais entendu parler de Hockney ni, évidemment, de Bacon, Hopper ou Warhol. On ne connaît sans doute que Buffet et la peinture sur soie, monsieur Gonzalez y Sanchez.

J'ai soulevé ce moustique par les revers moirés de sa veste parme. Je l'ai soulevé et je l'ai collé au mur. Il a poussé des cris de souris tellement aigus qu'ils étaient à peine audibles. Je lui ai collé un coup de genou dans ses affaires. Il a mis ses mains entre ses jambes et est tombé à genoux. Ses yeux semblaient jaillir de ses orbites. On aurait dit qu'il avait une apparition.

— Brute, sale brute ! Chiropracteur ! me lança un type qui essayait de consoler son petit copain tout en l'aidant à se relever. Mais l'autre restait désespérément accroché à ses outils.

— Ma mascotte a fait du dégât ? demanda David. Ma mascotte est formidable.

Le peintre me caressa affectueusement la nuque et repartit parmi ses invités. Il n'en avait vraiment rien à foutre que j'aie frictionné les joyeuses de l'un de ses mignons.

La fille me prit par le bras et me proposa de me conduire au premier.

— Il y a quoi au premier ?

— Vous verrez.

En montant l'escalier, je regardais luire ses jambes

sous mon nez. Des jambes superbes. C'était autre chose que les taches ou le poireau bleu de David. La fille était presque aussi grande que moi. Je ne savais pas où elle me conduisait, mais je savais ce que j'avais envie de lui faire. On entra dans une sorte de grand bureau avec un vaste canapé de cuir. Au mur il y avait autant de toiles qu'en bas. Mais celles-là, au premier coup d'œil, je les ai trouvées chouettes.

— Le propriétaire de la galerie, c'est pas une bille, j'ai dit, il expose les merdes en bas, et la bonne peinture il la garde dans son bureau.

— Vous n'êtes pas loin du compte, répondit la fille.

— Vous connaissez le tôlier ?

— C'est moi.

— La galerie est à vous ?

— Exactement.

— Vous devez me prendre pour un sacré plouc.

— Au contraire, monsieur Gonzalez, vous me semblez avoir, à défaut de connaissances étendues, un jugement très perspicace.

Elle prit une bouteille de cristal sur une table basse et remplit deux verres. Elle m'en tendit un en disant :

— Laquelle de ces toiles préférez-vous ?

Je me baladai devant une vingtaine de tableaux, les mains croisées derrière le dos. Je n'ai pas réfléchi longtemps.

— Celui-là, j'ai fait.

— J'en étais sûre.

— C'est de qui ?

— Vladimir Velikovick.

Et elle siffla son whisky d'un trait. Je ne me sentais pas très à l'aise. Maintenant cette fille m'intimidait. Je m'installai sur le canapé de cuir noir et elle vint s'asseoir à côté de moi. Après s'être remis un peu de poudre dans le nez, elle me passa la main dans les cheveux et m'embrassa avec une sacrée vigueur. Ses doigts me pelotaient la nuque et ses dents mordillaient mes lèvres qu'elle aspirait en même temps. Son haleine était forte mais pas désagréable. Ses seins, d'une fermeté aussi extraordinaire qu'inquiétante, semblaient me repousser. Je lui caressai les fesses. Elle aimait bien ça. Ensuite je suis remonté le long de ses jambes qui n'en finissaient pas. Ses cuisses étaient brûlantes. Et puis je me suis arrêté net. J'ai cru que je rêvais. J'ai plus bougé d'un poil et j'ai dit :

— T'es un mec !

— Plus vraiment, a fait la fille.

— Et ce que je tiens, c'est quoi ?

Elle me répondit par un baiser d'une incroyable douceur. Puis ajouta :

— T'occupe pas de ça. Fais avec le reste.

Je retirai doucement ma main de sous sa jupe et basculai ma tête en arrière. Je ne savais plus ce qui m'arrivait, je n'avais jamais connu ça. Je fermai les yeux. Pendant qu'avec sa bouche il me faisait des trucs formidables, je pensais à toutes les parfumeuses qui frétillaient, en bas, devant le poireau bleu.

SE PUEDE QUE SI,
SE PUEDE QUE NO

De la fenêtre de l'hôtel, je voyais le rocher de Gibraltar. La chambre était ensoleillée.

J'avais tout mon temps. Mon chien était mort hier. Il me restait un lit défait que je partageais avec des mouches exaspérantes.

Algésiras était une ville qui ressemblait à ma chambre, une ville de passage. Ce petit port prétendait être la *punta de Europa*. J'aimais me sentir à la pointe de cette partie du monde. C'était une position avantageuse. Presque un point de vue sur la vie.

Je ne voulais pas quitter cet endroit sans retourner sur la plage où mon chien avait disparu. De la grève, on pouvait admirer un phénomène grandiose. Celui du partage des eaux. Ici se rejoignaient l'océan Atlantique et la mer Méditerranée. Retrouvailles discrètes. Mais sous la surface de la houle, les courants se brassaient, s'abouchaient, s'étreignaient.

Du ponton, secoué par les bourrasques de vent, on percevait, venant de l'ouest, les odeurs des jardins de Cadix, le parfum des limons du Guadalquivir et la fraîcheur des brumes de Faro. De l'est, c'était plus indistinct. Il y avait tant d'eau à traverser que les images se délitaient en chemin. Quand on se tenait debout, ainsi, à la *punta de Europa*, les yeux plissés dans la lumière du détroit, libre de se noyer dans une mer ou dans un océan, on avait la conviction d'être au centre du monde.

Mon chien avait l'habitude de courir sur la jetée puis de sauter dans l'eau. Il plongeait, les pattes repliées comme une mouette. Il jouait quelques minutes dans les vagues océaniques, puis sortait côté Méditerranée. Il s'ébrouait et faisait voler dans l'air de véritables plumes d'eau. La veille, il s'était comporté comme à l'accoutumée. Il avait reniflé le bas de mon pantalon, jappé en me regardant d'un air stupide puis foncé comme un dératé vers l'extrémité de la jetée. J'entendais le bruit de ses pattes racler sur les traverses de bois qui longeaient la plage. En bout de piste, il obliqua côté océan, prit son élan, décrivit une courbe parfaite dans l'air et s'enfonça dans l'eau comme une torpille. Lorsque je parvins au bout du ponton, je m'aperçus que mon chien avait considérablement dérivé. Des courants nouveaux l'avaient attiré vers le large. Il s'éloignait de plus en plus de la Méditerranée et cinglait vers l'ouest, vers Cadix et Faro. Seule sa tête émergeait de l'eau. Pourtant il n'avait pas l'air de s'en faire. Je commençai à être inquiet lorsqu'il se mit à aboyer, à aboyer comme un chien de garde qui renifle l'orage ou le danger. Je vis ses pattes avant brasser l'eau, il sembla émerger un instant, et d'un coup disparut, englouti par l'océan. Je demeurais pétrifié. Je fixais les remous. Je n'avais plus de chien.

Ce matin, je me tenais à la même place, mes cheveux secoués par les gifles du vent. Je longeais la plage. Hier, j'avais attendu près d'une heure sur le ponton. Maintenant, j'espérais un miracle. J'espérais voir surgir la torpille de la dune, le poil collé par le sel et le sable. J'espérais que la Méditerranée me restituerait ce que l'océan m'avait pris.

De retour à Algésiras, je rendis la voiture de louage, payai ma chambre et m'installai au bar de l'hôtel en attendant l'heure du départ de mon bateau pour Ceuta. Ce soir, je dormirais au Maroc. Autour de moi il y avait peu de monde, les tables étaient presque toutes inoccupées. Le poste de télévision, accroché au mur, jacassait comme un mainate. La torpille me manquait.

Je racontai mon histoire au barman que je connaissais un peu. Je terminai en lui disant qu'à cette heure-ci mon chien était au paradis des poissons. En rebouchant une bouteille de porto, il me répondit :

— *Se puede que si, se puede que no. No podria decirlo.*

Il alluma une Ducados et sa bouche recracha une fumée bleue comme du diesel.

Un couple entra et s'installa sur les vieux fauteuils de cuir tachés près de la baie. L'homme était grand et sa chevelure fournie plaquée en arrière. Son costume de bonne coupe mettait sa stature en valeur. Ce voyageur n'avait pas d'âge. La femme qui l'accompagnait paraissait beaucoup plus jeune. Elle passait sans cesse la main dans ses cheveux, orientant ses mèches tantôt d'un côté, tantôt de l'autre. Ce geste anodin me troubla.

Le barman se rendit à leur table et prit la commande. Elle ne parlait pas. Il semblait lui adresser des reproches et ponctuait ses phrases de gestes tranchants. On sentait qu'il avait du mal à se contenir. Il se rapprocha d'elle et la saisit par le bras. Elle essaya de se dégager discrètement, puis se résigna. C'est alors que le chien entra. Un chien noir, au poil frisé, le regard vif et la queue frémissante. Il alla s'asseoir près du couple et posa sa gueule sur le pantalon de l'homme qui le repoussa. L'animal se déplaça vers la fille, qui, après avoir réajusté ses cheveux, le caressa.

L'homme s'était calmé. Étalé dans le fauteuil, il réfléchissait. Quand le garçon apporta les consommations, il ne lui adressa même pas un regard. Le chien remuait la queue, la fille fumait une cigarette, et l'homme flottait dans ses pensées. Dans ce bar à la pointe de l'Europe, la vie s'était figée. Chacun de nous aurait pu conserver indéfiniment sa posture. Il était évident que nul ne savait où se rendre, qu'aucun de nous n'était attendu. Nous étions tous en bout de course, à la limite des terres, et nous portions notre lassitude sur notre visage. Immobiles devant nos verres intacts, nous ressemblions à des personnages tombés d'une peinture d'Edward Hopper. La fille voyait approcher la solitude, le barman l'avait toujours connue, moi, je ne possédais plus rien et le chien, lassé de son errance, s'endormait au sol. Quant à l'homme en colère, malgré ses airs tranchants et la coupe soignée de ses vêtements, il finirait par prendre une chambre à l'étage, avec un lit et ce qu'il faut d'eau courante pour s'asperger le visage.

L'arrivée de deux marins qui avaient soif redonna soudain vie au bar. Ils s'assirent au comptoir en riant, le chien vint les renifler, le barman sortit des verres, la fille recommença à jouer avec ses cheveux et l'homme joignit ses mains devant sa bouche avant d'entamer un nouveau discours qui paraissait bien solennel.

Je payai ce que je devais et je sortis.

Le soleil était déjà bas. Ce soir-là, je dormirais au Maroc. Il me suffisait de rejoindre mon bateau. Il était amarré de l'autre côté du port. En chemin, je songeais

aux raisons qui m'avaient conduit ici, aux limites du
continent. Depuis quelques semaines, je regrettais
d'être allé si loin. Par-dessus tout, je regrettais la
femme que j'avais perdue. Et aussi mon chien plongeur.

Le ferry finissait d'embarquer des voitures et
quelques semi-remorques. Le guichetier de la compagnie maritime me délivra un aller simple. Je quittais
l'Europe avec un bagage dérisoire. Je ne savais pas
vraiment où j'allais. En arrivant au bout de la passe-
relle, un steward vêtu d'une chemise douteuse me barra
le passage en grognant :

— *Aqui, no se aceptan perros.*

Il me disait que les chiens étaient interdits en me dési-
gnant quelque chose du doigt. Je me retournai et je vis
le bâtard du bar. Il était assis au ras de mes chaussures.
Il remuait la queue et il me regardait.

On me remboursa mon billet sans difficulté. Je ne
quittais plus l'Europe, c'était décidé, je revenais chez
les miens. J'ignorais ce qui m'attendait et ce que j'allais retrouver. Je ne savais pas si la femme que j'aimais
accepterait de me reprendre ni si ma clé ouvrirait
encore la porte d'entrée de la maison.

J'allai louer une voiture et prendre la route vers le
nord. Auparavant, je fumai une cigarette sur la jetée de
la pointe de l'Europe. Assis sur le ponton, face à la mer
et à l'océan, je caressais mon nouveau compagnon. Son
museau était posé sur ma jambe et ses yeux rêvaient en
suivant la ligne d'horizon. Ce chien-là n'était pas un
plongeur. Il n'était pas du genre à faire la torpille. Ce
chien-là me ramenait à mon point de départ. Je l'avais
avec moi pour un bon bout de temps.

250 GRAMMES DE BEURRE

Elle s'endormit dans ses bras. Son coude lui faisait mal, mais il n'osait pas bouger, de peur de l'éveiller. Il regardait les rideaux qui laissaient filtrer la lumière de la rue. Il entendait le bruit des voitures qui accéléraient après le carrefour. Il demeura immobile jusqu'à ce que la douleur fût insupportable. Alors, avec d'infinies précautions, il changea de position. Elle bougea légèrement, il embrassa son épaule et se leva. Un instant, il se dit qu'il devait partir, quitter cette chambre pendant qu'elle dormait, pendant qu'il était encore temps. Mais elle le retenait. Du plus profond de son sommeil elle le possédait encore.

Il entra dans la salle de bains, s'assit sur la cuvette des toilettes et urina. Puis il resta ainsi, un long moment, à réfléchir en faisant glisser ses doigts sur les dents d'une brosse à cheveux. Il revoyait tous ces jours passés auprès de cette femme. Dès qu'il était avec elle, il sentait bouger en lui un bonheur embryonnaire. Il ignorait que l'on pouvait réellement porter cela en soi. Paradoxalement, dans l'intensité de ces instants, il éprouvait aussi la sensation de se rapprocher de la mort. Il savait qu'il était impossible d'aimer de la sorte toute une vie, que la force et la violence de tels sentiments ne résistent pas au temps. Et, lorsqu'il réfléchissait à la dégradation inéluctable de ce bonheur, il envisageait sa fin. Il la sentait flotter en lui.

Il actionna la chasse d'eau et alluma une cigarette. Il n'aimait pas fumer à cette heure de la nuit. Il avait honte de revenir auprès d'elle avec son haleine chargée de l'odeur âpre du tabac.

En ouvrant la porte du réfrigérateur, il songea qu'il n'avait pas mangé de la journée. Il n'avait pas faim, seulement soif. C'est alors qu'il vit la plaquette de beurre. Au milieu de la clayette. Il la prit dans sa main et referma le frigo. Il tenait ces 250 grammes rigides et froids entre ses doigts lorsqu'il se rappela l'usage qu'en avait fait Marlon Brando dans *Le Dernier Tango*.

Il revint à la chambre et se recoucha près de la femme qu'il aimait. Bientôt, le beurre se ramollirait au contact de sa main. Il devrait alors choisir de ramener ces 250 grammes là où il les avait pris ou bien d'en utiliser une partie comme il croyait en avoir le désir et le courage. En pensant à cette éventualité, il eut l'impression qu'au lieu de se réchauffer sous l'effet de sa température la plaquette glaçait ses doigts, un à un.

Il se tourna vers elle et passa sa main froide entre ses jambes. Elle ne réagit pas. Il observa son visage calme, la beauté et la dignité de son sommeil, et se retira doucement.

Maintenant, il avait une envie démoniaque de posséder cette femme, de la pénétrer pendant son sommeil et de la réveiller dans la douleur. Il se figurait sa stupéfaction et, presque aussitôt, son plaisir. Il n'était pas convaincu de son bon droit, mais quelque chose le poussait à agir ainsi, une logique confuse de la progression de l'intempérance. Cela n'avait d'ailleurs presque plus rien de sexuel. La finalité de l'acte ne l'intéressait pas, seul le geste importait, le geste, uniquement.

Le beurre avait perdu un peu de sa rigidité. Dans quelques instants, il serait malléable, il pourrait se faire le complice de sa volonté. Ses joues étaient brûlantes. Ce beurre était désormais la seule chose qui le reliât au monde. Quand il aurait violé cette femme dans son sommeil, il pourrait enfin envisager la mort avec douceur, comme une chambre d'hôtel avec vue sur la mer. Ses doigts exercèrent une pression sur l'emballage d'aluminium et s'enfoncèrent sans résistance.

Ces derniers temps, il n'éprouvait plus guère de considération pour sa vie, pour lui-même. Il estimait avoir fait le tour de sa personne et ne se sentait plus propriétaire des jours qui lui restaient. Le temps que venait de lui offrir cette femme était une prolongation inespérée qui avait réhydraté ses sentiments. Il savait maintenant qu'il n'irait pas plus haut, qu'il culminait au sommet du bonheur auquel peuvent prétendre les hommes, après quoi il n'aurait d'autre alternative que de redescendre vers ces terres d'ombre et d'ennui où il avait séjourné si longtemps. Il avait le droit de refuser ce déclin.

Il se redressa sur le lit et appuya son dos contre le mur. Il mesura combien pouvait être grande l'influence du hasard sur le destin de chacun. S'il n'avait pas ouvert la porte du réfrigérateur, il serait sans doute en train de dormir auprès d'une femme aux côtés de qui il aurait pu vieillir dans l'attente des souffrances et des maladies.

Comme pour s'en convaincre, il se répétait que quitter l'existence dans un accès de bonheur n'était pas plus ridicule que de l'abandonner à l'occasion d'un excès de vitesse.

Il décida de fumer une dernière cigarette. Il se rendit à la salle de bains, se lava les dents avant d'aspirer la première bouffée, afin de mieux en apprécier l'arôme. Il s'assit sur le rebord de la baignoire et, de ses doigts, ramena ses cheveux en arrière. Il se regarda dans la glace et constata qu'un front dégagé le rajeunissait. Il s'approcha du miroir tout en modifiant sa coiffure. Il se dit qu'à son âge une coupe courte lui irait mieux. Il prit des ciseaux et, sans mesure ni précaution, tailla dans la masse de ses mèches. Elles roulaient sur ses épaules avant de tomber au sol en grappes épaisses. Il aimait le bruit des ciseaux qui débroussaillaient sa tête. Ils craquaient comme du pain frais. Quand il eut terminé, il s'estima satisfait du résultat. Il était méconnaissable. Il s'était fait la tête d'un condamné à mort. Il nettoya scrupuleusement le sol, rangea les ciseaux et revint à la chambre. Le beurre avait coulé et déposé une auréole sur la moquette. Il ramassa la plaquette toute ramollie et la replaça dans le réfrigérateur.

Avant de s'endormir, il caressa son crâne. Il avait l'impression que ses cheveux, piquants comme des aiguilles de pin, lui mordillaient les doigts.

LES SENTINELLES

Il se souvient de ce réveil dans une chambre à la campagne. Il se souvient que les fenêtres donnaient vers l'est et qu'il faisait soleil. Il se souvient de cette maison hostile qu'il n'avait jamais aimée. Il se souvient de son angoisse, de son corps allongé sur un lit, grelottant, luisant de transpiration. Il se souvient qu'il ne comprenait pas ce qui lui arrivait.

Hier, il est allé voir son cardiologue. Comme d'habitude, ils ont bavardé d'un ton léger avant l'examen. Comme d'habitude, il s'est déshabillé. Comme d'habitude, il a subi une électrocardiographie, une prise de tension et une radioscopie.

— Vous n'avez pas un cœur gros, a dit le spécialiste, en regardant l'écran.

— Ça dépend des jours, a répondu Vincent.

Le cliché ne révélait rien d'anormal, le tracé attestait que le cœur battait en rythme sinusal, la tension était de 12/7. Pour un type qui allait bientôt avoir quarante ans, il n'avait pas à se plaindre.

— On pourrait faire une fenêtre dans le traitement, a proposé le médecin.

— Pas question.

Une fenêtre, ça voulait dire que Vincent arrêtait de

prendre ses médicaments et qu'il s'exposait au retour de nouvelles crises. Des crises qui avaient failli le rendre fou, qui avaient détruit une partie de sa vie. Des crises qui avaient tout leur temps, qui patientaient dehors, qui attendaient seulement que l'on ouvre une fenêtre pour s'engouffrer à nouveau dans sa poitrine.

— Vous prenez quoi en ce moment ?
— Dysopyramide et bêtabloquants.
— Vous les supportez comment ?
— Je m'arrange.

Oui, il s'arrangeait avec les effets secondaires de ces drogues. Il avait des mictions pénibles, parfois il perdait le goût des aliments, parfois l'usage d'un muscle oculaire, il faisait des cauchemars terribles, des insomnies, il souffrait d'asthénie et aussi de déficiences sexuelles.

— Ce sont les bêtabloquants, avait expliqué le cardiologue.

Les ondes bêta bloquaient aussi le désir, le plaisir, elles bloquaient tout ce qui passait dans leur zone d'influence, le sommeil et même le goût du bonheur. Elles accomplissaient à la perfection leur métier de sentinelle. Elles pouvaient foutre une nuit ou une vie par terre. Elles étaient omnipotentes. Mais c'était leur ordre aveugle ou la crise.

— Vous devriez vous remettre au sport, guérir votre appréhension.
— Non.
— Vous avez tort.

Oui, il avait tort. Tort de continuer à fumer, tort de se surveiller sans cesse, tort de s'angoisser, tort de basculer dans des rêves dont la puissance l'effrayait, des rêves qui le faisaient pleurer la nuit et parfois même le jour, tort de prendre son pouls à la moindre alerte, à la plus légère extrasystole, tort de gâcher la vie de ceux qui l'entouraient avec son humeur maussade, tort de penser sans cesse à la mort, tort de moins faire l'amour, tort de s'accrocher à ses drogues qui le rassuraient et le diminuaient à la fois.

— N'oubliez jamais que vous n'avez qu'un *flutter*.

Le médecin pouvait en être sûr, il ne l'oubliait pas. *Flutter* est un mot anglais qui veut dire battre irrégulièrement, se débattre. Depuis treize ans, le cœur de Vincent se débattait en lui. De temps à autre, il était traversé par une fureur soudaine et mystérieuse et cognait dans tous les sens comme un gros oiseau prisonnier dans sa poitrine. Il pouvait voir les pulsations inégales et rapides secouer la peau de son sternum, comme si son aorte bouillonnait. Il sentait sa respiration s'accélérer, l'essoufflement le gagner, la fatigue l'envahir. A ces instants, il demeurait tendu, aux aguets, à l'écoute de son corps, analysant chaque modification de son désordre rythmique. Quelquefois, aussi, il perdait connaissance l'espace d'une ou deux minutes. On lui avait dit que c'était un problème vagal. Les yeux ouverts, fixes comme deux clous, reclus dans son effroi, il attendait que les sentinelles agissent, qu'elles remettent les oreillettes au pas. Cela pouvait prendre des heures, des jours même.

— Pensez à la fenêtre, répétait le cardiologue, pensez-y.

Au matin de cet automne-là, la fenêtre, il l'avait devant ses yeux. Il la fixait. Au travers, il devinait la cime des arbres qui se balançaient derrière le voile immobile des rideaux. Il sortait à peine d'un rêve au cours duquel il avait couru dans les rues d'une ville du

Sud. Il avait dévalé des avenues, gravi des escaliers monumentaux, frôlé des lauriers, des hibiscus, enjambé des caniveaux charriant de l'eau claire. Ses semelles effleuraient à peine le sol, il avait l'aisance d'un chien de chasse qui galope derrière les lièvres du vent.

Il y avait les rideaux, la fenêtre et son cœur qui refusait de quitter les ruelles tièdes, qui poursuivait sa course emballée. Il ne dormait plus et ses paumes étaient posées à plat sur les draps. Il comprit très vite que désormais les choses ne seraient plus exactement comme avant, qu'une part de lui-même était devenue sauvage et qu'elle s'échapperait quand bon lui semblerait.

On lui planta une seringue dans la veine du bras et, lentement, il vit disparaître les rideaux, la fenêtre et la danse des arbres. A l'hôpital, on lui dit de quoi il souffrait. On lui fit subir de nombreuses explorations. Des lavements barytés, des radios, des électro, des prises de sang, des tests d'effort. On le décortiqua, et l'on ne trouva rien. Rien que de la peur et les empreintes encore fraîches de sa course sauvage.

Il rentra chez lui en mesurant chacun de ses pas. Il s'imaginait qu'il ne devait à aucun prix s'essouffler, que les palpitations sanctionneraient son plus petit excès, son moindre écart, il croyait que son cœur était empli de furets.

Treize ans qu'il était devenu vieux. Mois après mois, année après année. Il s'était réduit, rétracté, il avait rétréci sa vie, ses envies. Et maintenant il avait d'autres ennemis en lui, ses sentinelles, ses propres sentinelles, celles qu'il avait enrôlées pour qu'elles lui apportent un peu de repos. Ses gardes du corps l'affaiblissaient chaque jour davantage. Le cardiologue avait raison. Il aurait fallu l'ouvrir, cette fenêtre, toute grande, et chasser cette milice, cette pègre. Et tant pis si une toute petite part de lui-même s'évadait quelques heures ou quelques jours, tant pis si elle s'enfuyait à nouveau pour errer vers le Sud. Il savait qu'en principe elle devait revenir, que ce n'était qu'une question de temps, il savait que son aorte s'apaiserait après la crue, qu'il suffisait de s'allonger et d'attendre dans la position du mari couché. Et pourtant il ne pouvait se résoudre à ce choix. Au fond de lui, il craignait que, au cours d'une de ses fugues, son cœur ne le lâche, qu'il ne l'abandonne sur les draps, face à la fenêtre ouverte derrière les rideaux immobiles. Alors il avalait ses gélules, chaque jour il entretenait sa garde, il l'alimentait à heure fixe. Bien que ce régiment lui volât ses nuits, ses plaisirs et son intimité, il refusait d'ouvrir la fenêtre. Il préférait demeurer prisonnier de son armée, s'étioler derrière des vitres closes, plutôt que respirer les ruades du vent.

Le cardiologue le raccompagna à la porte du cabinet et lui adressa quelques mots amicaux. Il regarda cet homme avec tendresse, lui serra la main et eut à cet instant la conviction qu'il ne le reverrait jamais plus.

Il dîna chez Miranda. Elle savait tout ou presque de lui. Elle ne lui posa pas de questions sur sa visite chez le médecin, elle savait qu'il valait mieux attendre qu'il parle de lui-même. De toute façon, elle n'avait jamais pris sa maladie très au sérieux. Elle considérait que Vincent s'écoutait beaucoup trop et que, contrairement à ce qu'il prétendait, l'on pouvait vivre avec un *flutter* sans trop de problèmes. Face à la maladie, elle avait des yeux de marbre. Vincent, lui, essayait de se débrouiller avec un courage de cristal. Il l'embrassa, alluma une cigarette et s'absorba dans le repassage d'une montagne de linge que Miranda accumulait au fond d'une penderie. La vapeur du fer et le contact des étoffes chaudes lui réchauffaient les mains qu'il avait toujours glacées. C'était encore là l'œuvre des sentinelles, le syndrome de Raynaud, la paresthésie des extrémités, comme le précisait la longue liste des effets indésirables.

La bouche de Miranda glissait sur ses lèvres, il aimait le goût de sa salive, l'odeur boisée de son haleine. Elle passa sa langue sur ses dents et s'allongea sur lui. Il fut troublé par le contact de ses jambes brûlantes. Il ferma les yeux pour ne plus voir la fenêtre qui le regardait et demeura inerte, comme un noyé, un gisant, une fois de plus otage de sa garde. Pour la première fois, dans sa chair, il s'aperçut qu'il avait perdu tout contrôle, que le pouvoir était désormais entre les mains des forbans qui l'assiégeaient. Il se sentait en exil dans son propre corps. Son esprit ne commandait plus rien, lui aussi avait sombré. Il éprouvait seulement du chagrin. Jusqu'à sa mémoire qui avait oublié l'instinct de la révolte.

— Ce sont encore ces médicaments ?

Elle se leva et fouilla dans son sac à la recherche de son paquet de cigarettes. Miranda était belle, jeune et désirable. Mais, pour Vincent, cela n'avait plus véritablement de sens. Allongé dans le noir, il se remémorait les paroles du cardiologue : « Vous n'avez pas un cœur gros. » Si le médecin avait pu faire une radio de l'organe de son patient à cet instant, il aurait sûrement révisé son jugement.

Assis sur le lit, les jambes repliées contre la poitrine, il suffoquait. C'était encore un de ces cauchemars qui le catapultaient dans un univers autre, dont il revenait chaque fois vidé de toute substance. Ce qu'il rêvait n'avait rien de terrifiant, au contraire. Dans son sommeil, il accédait à une existence qui lui avait échappé voilà treize ans. Sa torture, son effroi provenaient de la représentation onirique de ce qu'il avait été, de la redécouverte de sensations élémentaires. Pour lui, le pire des cauchemars était bien l'évocation précise de son bonheur passé.

Cette nuit-là, il avait une fois encore couru dans cette ville qu'il ne connaîtrait jamais, cité imprécise qui le hantait, quadrillée de rues sinueuses et pentues où il courait comme un cheval emballé. Il ne pouvait ni ralentir ni maîtriser la furie qui s'emparait de ses jambes, ses poumons le brûlaient, sa gorge sifflait, ses bras allaient et venaient contre son torse comme des bielles folles, mais son cœur alimentait cette pression avec une régularité rassurante. Il n'accélérait pas son rythme, il maintenait la cadence. Et Vincent pouvait tout faire, sprinter, escalader, bondir, comme dans son rêve initial, comme avant la maladie. Il retrouvait la griserie d'user de ses jambes, le bruit de la morsure de ses pieds dans le sol, la joie de s'étourdir de sa propre vitesse. Il retrouvait la saveur de la bouche des femmes, l'appétit de leur chair, la marque de leurs dents, la générosité de leur souffle. Il retrouvait le Sud, la maigreur des chiens, la douceur de l'air et la vigueur de ce cœur sauvage qui pulsait, serré tout contre lui.

Devant sa fenêtre, Vincent regardait la nuit en se demandant si le mirage de cette ville tenait à la perversion de ses sentinelles, si elles avaient élaboré ces cauchemars pour lui infliger une dégradante torture ou bien si une parcelle encore intacte de son esprit échappait à la vigilance de cette garde pour lui rappeler ce paradis perdu, la douceur de cette vie d'autrefois.

Il se recoucha auprès de Miranda et, avec le drap, recouvrit ses épaules.

Au matin, il se leva juste après son départ. Elle avait laissé un peu de cake aux fruits et préparé du café. Il pleuvait à verse. Près de la lampe de chevet, il vit les gélules de bêtabloquants et les cachets à base de Dysopyramide. Pour la première fois depuis qu'il était devenu vieux, il se leva sans avaler sa dose de sentinelles. Elles demeurèrent prisonnières de leur emballage d'aluminium strié de rouge. Vincent n'oubliait pas qu'il fallait attendre quelques heures avant que son cœur retrouve toute sa liberté, avant que s'estompe l'effet de la prise de la veille.

Quand Miranda rentra en fin de journée, elle trouva Vincent debout face à la fenêtre. Sa silhouette était encore jeune, il était mince et son visage n'était pas encore marqué. Elle glissa ses bras autour de sa taille et l'embrassa dans le cou.

— Tu as fait quoi aujourd'hui ?

— Rien.

— Tu n'es pas sorti ?

— Non.

Il se retourna et prit la femme qu'il aimait dans ses bras. Son cœur, comme autrefois, se mit à battre un peu plus vite. Il embrassa ses mains et ne les trouva pas aussi chaudes que d'habitude. Cela venait de ce que les siennes étaient moins froides. Quand Miranda s'éloigna vers la salle de bains, il vit ses jambes dans le contre-jour et il les désira.

La chambre était noire. Seule une faible lueur provenant de la rue traversait la maigre épaisseur des rideaux. Vincent se leva en prenant garde de ne pas réveiller Miranda. Dans l'obscurité, il s'habilla de vieux vêtements qu'il ne mettait que pour bricoler et chaussa une paire de tennis délavées.

Quand il fut sur le trottoir, le froid de la nuit le saisit mais c'était l'angoisse qui le faisait grelotter. Il sentait le sang cogner à ses tempes, ce sang dont il redoutait les crues. Il vit que la rue était vide et se demanda l'espace d'un instant si le Sud était à gauche ou à droite. Il se lança vers la gauche, d'abord économe de ses foulées. Puis, courant plus vite pour échapper à sa peur et à la crise qui pouvait survenir à tout moment, il se rua vers la ville de ses rêves.

FACE AU VENT

Elle est morte face au vent. Je voulais lui redonner la vie, je l'ai tournée vers le large, j'ai ouvert sa gueule en espérant que les bourrasques ranimeraient son souffle. Mais rien ne s'est passé. Alors j'ai laissé ma chienne sur la plage, là où elle s'était effondrée, et je suis rentré à la maison.

Je me suis allongé sur le divan en allumant une cigarette. Mes jambes étaient trop longues et dépassaient de l'accoudoir. Je suis resté un moment à ne penser à rien. Je voyais des avions filer dans le soleil comme des torches dorées. A mesure qu'ils s'élevaient dans le ciel, il me semblait que leurs moteurs recrachaient les derniers lambeaux de ma vie.

Les derniers mots que mon père avait prononcés avant de mourir me revenaient à l'esprit : « On verra ça demain. » En fermant les yeux, j'ai songé à ma première voiture, aux filles qui s'étaient assises à l'intérieur, j'ai songé à la naissance de mes enfants, à mon visage d'autrefois, j'ai songé à mon divorce, à toutes ces disputes qui l'avaient précédé, à ma femme, et à cette phrase ridicule de prétention que je lui avais dite le jour de son départ : « Haïr quelqu'un est presque aussi gratifiant que de l'aimer. »

On a sonné à la porte. C'était un type qui vendait des systèmes d'alarme. Je n'avais rien à protéger. Je l'ai laissé entrer. Il a installé tous ses engins sur la table. Il parlait à toute vitesse. Sa voix me tenait compagnie.

FIN DE SOIRÉE

— Tu pourrais conduire moins vite.

— Je ne conduis pas vite.

— Je suis secouée dans tous les sens et j'ai mal à l'estomac.

— Tu n'avais qu'à moins boire à cette soirée. Chaque fois que je te regardais, tu avais un verre à la main.

— Chacun s'occupe comme il peut.

— Ça veut dire quoi ?

— Ça veut dire ce que ça veut dire.

— Ça veut dire sans doute que je ne me suis pas assez occupé de toi, ce soir.

— Tu ne peux pas être partout à la fois.

— Tu es vraiment très drôle.

— Je t'assure que ce n'est pas mon intention.

— Donne-moi une cigarette.

— Je n'en ai plus. Comment s'appelle la fille que tu n'as pas quittée de la soirée ?

— Quelle fille ?

— Je t'en prie, ne sois pas, en plus, ridicule.

— Qu'est-ce que ça veut dire, *en plus* ? *En plus* de quoi ?

— Ne t'énerve pas. Je te demande simplement qui

145

est cette fille en tailleur bleu à qui tu n'as pas cessé de parler.

— C'est une avocate qui travaille pour la compagnie.

— Comment s'appelle-t-elle ?

— Héléna Zakis.

— Elle est grecque ?

— Je n'en sais rien.

— En tout cas, elle est très attirante, elle a beaucoup de classe.

— Elle connaît son boulot.

— Elle connaît aussi les hommes.

— Tu me fatigues avec tes allusions.

— Tu aurais pu me la présenter. Tu n'étais pas *seul* à cette soirée. J'étais là et je suis ta femme. J'étais *aussi* invitée.

— Je ne pense pas que vous auriez eu grand-chose à vous dire.

— Bien sûr, moi, la petite ivrogne au foyer, qu'est-ce que j'ai de commun avec la grande avocate d'affaires qui défend les intérêts de mon mari en talons aiguilles un verre de lemon tonic à la main ?

— Rien, justement.

— Mais si, mon chéri, on a toi en commun. Si tu m'avais présenté cette pétasse, nous aurions pu justement parler de toi. Je lui aurais demandé : « Chère madame Zakis, trouvez-vous que Paul est un bon baiseur ? Mon mari a-t-il une jolie queue ? Vous fait-il jouir convenablement ?

— Tu es ivre.

— Fous-moi la paix. Depuis quand tu te tapes cette Grecque ?

— Je ne me tape personne et je te trouve vulgaire.

— Celle-là, c'est la meilleure ! Monsieur me trouve

146

vulgaire. Ce n'est pas vulgaire, de mépriser sa femme en public comme tu l'as fait ce soir ?

— Tu deviens complètement parano.

— Tu ne peux pas comprendre ces choses-là. Mais plutôt que de lui tourner autour avec tes sourires mielleux, j'aurais encore préféré que tu lui bouffes la chatte devant tout le monde à cette putain. Au moins, les choses auraient été claires.

— Tu perds la tête.

— Et ne crois pas que je sois jalouse. Ta Zakis et toi vous pouvez bien vous envoyer en l'air sur tous les matelas de la création. Ce que je n'aime pas, c'est que tu ne saches pas te tenir en société. J'ai horreur d'être ridicule.

— Je crois rêver. Toi, toi tu me demandes de me tenir en société alors qu'il y a dix ans que tu n'es pas sortie d'un dîner autrement qu'en titubant, alors que tu as les traits, la voix, le corps d'une ivrogne, alors que nos amis t'ont surnommée l'Éponge.

— Ah bon, on me surnomme l'Éponge ?

— Ça, ça te touche.

— Pas du tout, pas du tout. Je trouve même ça plutôt drôle. Et Héléna Zakis, elle aussi a un surnom ? Garage à bites ? Avaleuse de sabres ? Pompe à foutre ?

— Tu es écœurante.

— Elle est comment au lit, la mère Zakis ? Elle aime être dessus ou dessous ? Ah non, je sais ce qu'elle préfère. Tous les Grecs adorent ça. Chez eux, paraît-il, c'est une seconde nature.

— Je ne savais pas que tu pouvais être aussi abjecte. Tu n'étais jamais tombée aussi bas devant moi. Même remplie d'alcool, je ne croyais pas que tu puisses t'avilir de la sorte.

— Écoutez-le parler, c'est extraordinaire : *Je ne croyais pas que tu puisses t'avilir de la sorte.* Parce que toi, tu ne m'avilis pas, tu ne me blesses pas, tu es un type extraordinaire qui se tape son avocate avec tact et délicatesse, et qui ne touche pas sa femme pendant des mois.

— Mais ma pauvre amie, tu es devenue *intouchable*, on ne peut pas désirer un sac à vin.

— Et c'est pour ça que tu te consoles avec Mlle Zakis. Je comprends, ça doit être très dur pour toi. Qu'est-ce que tu comptes faire avec elle, l'installer dans un petit meublé ?

— Ce n'est pas une danseuse.

— C'est vrai que notre chère Héléna s'assume financièrement et qu'elle a un métier valorisant. Ça ne me dit pas ce que tu comptes faire.

— Je ne compte rien faire du tout. Cette fille est une collaboratrice de la compagnie. Quitte à te décevoir, je te répète que je n'ai avec elle que des relations de travail.

— Tu me prends vraiment pour la reine des connes.

— Mais bon Dieu, qu'est-ce que tu veux que je te raconte ? Que c'est ma maîtresse ? C'est ça que tu veux entendre ? Ça te ferait plaisir ?

— J'aimerais que tu arrêtes de te foutre de ma gueule.

— Tu ne peux pas t'exprimer autrement que comme un livreur ?

— Je t'emmerde. N'oublie pas d'où tu viens, n'oublie pas que tes parents, même âgés, se mettaient des dégelées devant nous. Alors pour moi, je t'en prie, ne te fatigue pas à jouer les mondains.

— Je ne joue rien du tout.

— Tu n'aimes pas qu'on te rappelle ça. Ça te gêne, tu as honte.

— Tu dis n'importe quoi.

— Tu te souviens de ce soir de Noël, quand ta mère a dégueulé dans l'évier de la cuisine et que ton père, ivre lui aussi, l'a battue jusqu'à ce que tu te lèves et que tu le ceintures ? Tu t'en souviens, bien sûr. Et les insultes qu'ils se balançaient toute la journée, c'était pas du langage de livreur, ça ? Et la crasse dans leur bicoque, c'était quoi ? C'est de là qu'il sort, le patron de la compagnie. Tu lui as raconté ces histoires, à l'avocate, tu lui as raconté toute cette merde ?

— Si tu n'arrêtes pas, je te fous mon poing dans la gueule.

— Comme le faisait ton père ? C'est le sang qui parle !

— Bon Dieu, mais qu'est-ce que tu as ce soir ? A quoi tu joues, tu veux me faire sortir de moi-même ?

— Je veux que tu me dises depuis combien de temps tu baises Héléna Zakis.

— Six mois.

— Six mois quoi ?

— Six mois que je la baise, comme tu dis.

— Salaud. Vous vous voyez où ?

— Chez elle.

— Elle n'est pas mariée ?

— Non.

— Je comprends maintenant pourquoi tu n'as pas osé me présenter cette salope. Et je pense qu'à la compagnie tout le monde est au courant ?

— Personne ne sait rien. Et de toute façon je ne vois pas ce. que ça peut changer.

— Je crois que c'est moi qui vais te foutre mon

poing dans la gueule. Je crois que si tu ne conduisais pas, tu l'aurais déjà pris. Et cette pute travaille pour toi depuis quand ?

— Ce n'est pas une pute et elle ne travaille pas que pour moi. Elle a d'autres clients.

— Et ses autres clients, elle les a aussi gagnés avec son cul ?

— Je te demande de cesser immédiatement de parler ainsi d'Héléna.

— *Je te demande de cesser immédiatement de parler ainsi d'Héléna.* Tu sais que tu es extraordinaire quand tu la défends. On dirait un petit avocaillon. Maintenant tu peux me dire ce que tu comptes faire avec ta Grecque. L'épouser, lui faire des enfants, ou continuer à la baiser avant de rentrer douché de frais à la maison ? Qu'est-ce que tu veux, hein, tu veux quoi ?

— Je ne sais pas.

— Il ne sait pas. Mon mari chéri ne sait pas s'il garde sa vieille femme bouffie et poivrote ou s'il part avec sa jeune poule à talons aiguilles. Il réfléchit. Il se dit que c'est moi qui ai la majorité des parts dans la compagnie et que si on divorce, il se retrouve sans un radis. C'est à ça qu'il pense, mon mari chéri. Alors il voudrait bien garder l'une et l'autre, l'une pour le fric et l'autre pour le lit.

— Tu es abominable.

— Oui, mais j'ai abominablement raison. Si je ne te tenais pas financièrement, il y a longtemps que tu m'aurais balancée.

— Ce n'est pas vrai.

— Parce que maintenant tu vas me dire que tu m'aimes ?

— Non, mais tu es ma femme.

— Non, je suis la tôlière, et toi mon salarié, ne l'oublie jamais. Avant tout, tu es mon salarié.

— Je ne l'ai jamais oublié.

— Demain, tu vas téléphoner à cette petite conne à la première heure et lui signifier que la compagnie change d'avocat. Tu peux continuer à la sauter si tu veux mais il est hors de question que je continue à engraisser une poule.

— On est liés à elle par contrat.

— Tu romps le contrat. Et s'il le faut, on plaide.

— Tu es ridicule.

— Coupe le chauffage, j'ai trop chaud.

— On peut plus continuer à vivre comme ça.

— Tu veux qu'on divorce ?

— Je n'ai pas dit ça.

— Alors, tais-toi.

LES FOURMIS

Je crois que je rêvais de quelque chose d'agréable, quelque chose qui n'avait rien à voir avec ma vie. Et puis je me suis réveillé. En écartant les rideaux, je me demandai comment se passaient les choses dans les immeubles d'en face. Si les types y arrivaient à chaque fois. Si leurs femmes éprouvaient vraiment du plaisir. Le téléphone a sonné. Il était presque midi.

— Je voudrais prendre le reste de mes affaires.

— Oui.

— Je peux venir tout de suite ?

— Si tu veux.

Elle ne sonna pas, elle avait sa clé. La lumière glissait sur l'arête de ses jambes. A chacun de ses pas, la pointe de ses talons faisait vibrer les lattes du parquet. Je voyais ses vêtements quitter le placard et s'empiler dans un grand sac de toile. Tous ces tissus, à un moment ou à un autre, je les avais touchés, tous. Je les connaissais.

— Tu emportes tout ?

— Tout.

— Tu ne reviendras pas ?

— Non.

Je me levai et tentai de la prendre dans mes bras. Elle

me repoussa, je n'insistai pas. Ses yeux me reprochaient mes imperfections, les marques de mon visage, les plis de mon ventre, la couleur de mes dents.

J'allai aux toilettes et fis couler un bain. L'eau m'avala comme une bouche tiède.

La chambre était vide. Elle avait laissé deux vieux pulls, un pantalon taché et une paire de tennis sans lacets. C'était tout ce qui me restait d'elle. Je ramassai ces vieilleries et les entassai dans un sac poubelle.

Je me regardai dans la glace. Je n'étais pas encore vieux. J'avais trente-neuf ans.

Je n'avais plus d'emploi depuis six mois. Le supermarché m'avait mis à la porte parce que je m'étais accroché avec un client. Depuis, tout allait mal. Le travail, l'argent, ma santé et maintenant Sylvia. On aurait dit que les choses se détachaient lentement de moi, jour après jour. A force de passer mon temps à traîner, de drôles d'idées me trottaient dans la tête. Des idées qui avaient toujours un rapport avec le sexe et la maladie. Je ne pouvais pas en parler à Sylvia. Ce genre de conversation la mettait en boule.

J'étais enfermé dans l'appartement avec quelques araignées et un robinet de lavabo qui gouttait régulièrement pour me rappeler que le temps fuyait.

Je savais ce qui m'arrivait. J'avais déjà connu ça une fois dans ma vie. Une période où tout s'écroule en même temps et où les ennuis, une fourmilière d'ennuis, s'installent dans votre existence. On ne pouvait rien faire contre ce genre de choses. Simplement attendre que les embêtements aient fini de vous grignoter.

Et toujours ces drôles d'idées dans la tête. Je décrochai le téléphone.

— Jackie, c'est moi, Attilio.

— Oui.

— Tu es seule ?

— Avec les enfants.

— Je veux te demander quelque chose.

— Vas-y.

— Je veux que tu enlèves ta culotte.

— Tu veux quoi ?

— Je veux que tu l'enlèves.

— Pourquoi ?

— Comme ça, maintenant, au téléphone. Je t'assure, ça m'aidera.

— Tu es cinglé ou quoi ?

— Jackie, si tu fais ce que je te demande, tu me donnes un sacré coup de main. Sylvia m'a plaqué.

— Où es-tu ?

— Chez moi.

— Je ne t'ai pas vu depuis des mois et tu me téléphones au milieu de l'après-midi sans te demander si tu ne vas pas tomber sur mon mari et tu me demandes d'enlever ma culotte pour te rendre service parce que ta fiancée t'a balancé. Tu te rends compte ?

— Je sais que ça peut paraître bizarre, mais je voudrais simplement que tu l'enlèves pour moi, que tu l'enlèves en pensant à moi.

— Va te faire foutre.

Elle raccrocha. La tonalité du téléphone chanta dans mon oreille. Vers quatre heures de l'après-midi, je me présentai au bureau du travail. La fille qui s'occupait de mon dossier m'expliqua qu'elle n'avait rien à me proposer. Sauf peut-être un boulot de manœuvre sur un chantier. Je lui dis que c'était exactement ce dont j'avais besoin. Un emploi qui m'occupe les mains.

Elle me donna l'adresse où me présenter le lendemain. J'achetai des cigarettes, de la bière et remontai chez moi me mettre au lit. Je dormis comme un veuf. Rétréci dans ses draps.

J'enfournais du sable et du gravier dans la gueule d'une bétonnière. Je la bourrais jusqu'à ce qu'elle régurgite des langues de béton liquide. Mon dos me faisait mal. Je n'avais pratiquement pas de temps morts. La machine avait toujours faim. De temps à autre, le contremaître jetait un œil vers moi. Je ne devais pas avoir d'histoires avec lui. Il me suffisait de gaver ce trou noir de sable, de gravier, d'un peu d'eau et de ciment. Je n'avais pas à m'occuper d'autre chose. Durant la pause de midi, j'examinai les paumes de mes mains. Elles étaient couvertes de cloques. J'étais le seul à travailler sans gants. Le seul aussi à me débattre au centre d'une fourmilière.

Le contremaître m'apporta du café brûlant dans un quart de métal. Quand il vit mes ampoules, il dit :

— T'es pas de taille. J'ai tout de suite vu que t'étais pas de taille. Je vais t'apporter des gants.

J'ai bu le café en regardant le ciel. Il était blanc. Blanc de neige. Un type m'a expliqué que s'il gelait, on arrêterait de travailler. Je lui ai demandé si on était payés pendant ce temps. Il m'a répondu que ça dépendait.

Les gants étaient formidables. J'avais l'impression qu'ils me protégeaient de tout, du froid, du sable, de la pelle et surtout des fourmis. A quelques dizaines de mètres, les maçons qui montaient les murs m'apparaissaient tels des seigneurs. Personne ne se risquait à leur faire des réflexions. Au bout d'une rangée de moellons, certains prenaient même le temps de fumer une cigarette. A la fin de la journée, je rendis les gants au chef.

— Tu peux les garder, marmonna-t-il.

De gros flocons de neige tombaient lentement. Si ça continuait, on allait droit vers les intempéries.

L'appartement était froid. Je montai le chauffage, branchai la radio et m'assoupis sur le canapé. Vers vingt heures, le téléphone me réveilla. C'était Sylvia :

— Comment vas-tu ?

— Ça va. Un peu fatigué.

— Tu as trouvé du travail ?

— Oui, sur un chantier.

— Comme quoi ?

— Manœuvre.

— Tu vaux mieux que ça.

Elle ne dit pas autre chose. Elle raccrocha. Dehors, la neige avait cessé de tomber. Il allait geler. C'était certain. Je pensai au manche de la pelle, à la tiédeur des gants, mais surtout aux femmes qui, à ce moment, éprouvaient du plaisir dans l'immeuble d'en face.

LA TERRE ET LE CIEL

Il boucla sa ceinture de sécurité et regarda la piste au travers du hublot. Dans les travées, les hôtesses et les stewards avaient déjà entamé leur ballet grotesque et distribuaient des petites serviettes insupportablement parfumées. Il ferma les yeux dans l'espoir de chasser ces parfums acides et s'appliqua à retrouver l'odeur de la femme qu'il venait de quitter, une odeur qu'il n'aurait sans doute plus l'occasion de respirer, une odeur qui l'avait accompagné une partie de sa vie, avec laquelle il s'était endormi et réveillé, une odeur qu'il avait longtemps associée au bonheur et dont sa mémoire s'était imprégnée.

Engourdi par sa rêverie, sa vie lui parut tout à coup vaine et il eut le sentiment de se retrouver au bout d'une route qui finit brutalement au milieu du désert. A perte de vue, il avait beau chercher, il n'avait rien à quoi se raccrocher, rien qui puisse compenser ce qu'il venait de perdre. Alors il se redressa sur son siège et examina ses mains qu'il trouva maigres. Ses longs doigts reposaient sur ses cuisses comme des gisants. Cette image lui donna à penser que c'était finalement un bel après-midi pour mourir. Alors, avec une douce morbidité, il se persuada que l'avion allait s'écraser au décollage. Il imaginait son corps arrimé à son fauteuil, se consumant, calme et droit, dans la fournaise du brasier. Oui, il souhaita sincèrement cet accident sans songer au destin des autres passagers.

Quand le biréacteur s'élança en faisant rugir ses moteurs et que de sèches vibrations ébranlèrent l'appareil, il se dit qu'il touchait à sa perte. D'un instant à l'autre, il serait libéré des chagrins et des soucis qui entravaient ses jours. Instinctivement il se contracta en attendant le choc.

Lorsque les roues quittèrent le sol et que l'avion s'éleva sans dommage, il comprit que, cet après-midi-là, la mort ne voulait pas de lui. Il regarda la terre qui s'éloignait, cette terre qu'il quittait le temps d'une escale, cette terre sur laquelle vivait une femme qu'il ne reverrait pas, cette terre où il aurait aimé s'ensevelir, cette terre qui désormais serait pour lui aussi vide que le ciel.

LE CONDAMNÉ

Quand il rentra de l'école, il trouva sa mère en pleurs. Elle se tenait debout dans le salon, serrant dans ses doigts un mouchoir blanc. Elle semblait regarder le ciel par-dessus les toits des immeubles d'en face. Sa silhouette sombre se découpait dans la lumière dorée du couchant. En le voyant, elle essaya de se ressaisir, essuya ses yeux rougis et s'avança vers lui. Elle l'embrassa avec plus de ferveur que d'habitude. Il s'en rendit parfaitement compte. Il entrait dans sa treizième année.

Ils demeurèrent ainsi un long moment, serrés l'un contre l'autre, lui, silencieux et elle répétant : « Tu es mon enfant, mon enfant unique. »

La poitrine de sa mère se gonflait sous la secousse des sanglots, il sentait des doigts crispés sur sa veste, mais ne trouvait rien à dire pour l'apaiser. Ses lèvres tremblèrent, et elle dit d'une voix étrangement grave et posée : « Ton père et moi sortons de chez son cardiologue. Après l'examen, le médecin m'a prise à part et m'a annoncé qu'il était perdu. D'après lui, il n'a plus que très peu de temps à vivre. Tu dois savoir cela. Toi et moi devons nous préparer à être très forts. » Elle le pressa à nouveau contre elle et lui caressa la nuque. Les

mots qu'il venait d'entendre dansaient dans son esprit.
Ils retombèrent les uns derrière les autres, comme des
écoliers sages. Peu à peu, il entrevit l'ampleur du malheur qui les attendait. De la fenêtre, il voyait les cimes
des platanes, les toits de tuile, des losanges de ciel et
des pigeons gris qui allaient et venaient sur le rebord. Il
songea que son père mourrait une nuit. Qu'il mourrait
une nuit prochaine dans la grande chambre voisine de
la sienne.

C'était un secret. Il ne devait rien dire, rien laisser
paraître, continuer comme par le passé à être un bon
fils. Il marchait dans la rue. Il se remémorait la dernière
phrase de sa mère : « Il faut désormais être très gentil, la moindre contrariété peut le tuer. » Il marchait.
Comme des wagons, les vitrines des magasins défi-
laient devant ses yeux. C'était la fin de l'hiver.

En rentrant, il trouva son père assis à son bureau. Il
n'avait pas l'air maussade. Il continuait à sourire à la
vie comme un mari trompé. Un feu brûlait dans la che-
minée au manteau de marbre gris. Tout avait l'air normal. Même sa mère. Elle avait repris le dessus, s'était
remaquillée et parlait d'une voix assurée. Lui seul perdait pied. Déjà il se demandait s'il fallait commencer à
oublier l'homme qui lisait ou au contraire se jeter à son
cou pour profiter jusqu'au moment ultime de la douceur de ses joues qu'il polissait chaque matin à la pierre
d'alun.

Il s'endormit plus tard que d'habitude. Il écoutait les
bruits dans la maison, les voix de ses parents, leurs
intonations. Il pensa à Sally qu'il aimait depuis toujours, qu'il trouvait belle, intelligente, douce, il pensa

aux vacances qu'ils passaient ensemble chaque année à l'océan, à toutes les fois où il avait rêvé de l'embrasser et où il n'avait pas osé. Ce soir, il aurait aimé qu'elle partage son terrible secret et qu'elle le console en posant ses lèvres sur sa bouche. Il avait envie de caresser sa poitrine naissante et son ventre doré. Ces pensées lui donnèrent une légère érection. Il se tourna, empoigna son sexe et le serra si fort qu'il en éprouva une vive souffrance. Il avait honte d'avoir de telles envies au moment où son père s'approchait de la mort.

Il s'éveilla comme un possédé au milieu de la nuit. Dans le noir, ses mains cherchèrent le commutateur. La lumière jaillit dans la chambre et dissipa lentement son angoisse. Il passa la main sur son front brûlant. Dans l'appartement, tout était calme. Il se leva en essayant de ne pas faire craquer les lattes du parquet, enfila un pull et se glissa jusque dans la chambre de ses parents. Dans le grand lit, il devina leurs formes parallèles. Il s'approcha de son père pour écouter s'il respirait, s'il vivait encore. Il perçut son souffle régulier et fut rassuré. Il resta accroupi un instant à son chevet afin de se rassasier de cette paix qui le gagnait. Il avait envie de serrer cet homme dans ses bras, de l'embrasser, de lui dire de tenir le coup encore et encore, de ne pas lâcher.

Le lendemain, à la sortie de l'école, il essaya de parler un instant avec Sally, mais elle lui préféra la compagnie de deux garçons plus âgés. Il rentra chez lui d'un pas pesant et s'enferma dans sa chambre. Dans son vieux dictionnaire illustré, il conservait une photo de la jeune fille. Il la contempla en laissant le livre ouvert à la page des grands mammifères marins. Elle flottait parmi les baleines, les orques et les dauphins.

Ses cheveux blonds luisaient comme des fils de miel. Sally était son unique amour.

Son père et sa mère rentrèrent ensemble. Ils avaient l'air enjoués. Sa mère avait acheté un bouquet de fleurs fraîches et souriait tout le temps. Il lui trouvait un courage surhumain, pour ne pas dire inhumain. Face au mourant, lui-même se comportait de façon timorée, gardant le plus souvent les yeux baissés, parlant d'une voix hésitante. Il ne pouvait soutenir le regard de cet innocent qui continuait à envisager l'avenir, à concevoir des projets. Il trouvait totalement indécent et inconvenant qu'un enfant sût ce qu'un père ignorait.

Cette nuit-là et toutes les suivantes, il se releva pour épier le sommeil du condamné, pour s'apaiser au contact de son souffle. A ces instants la paix le gagnait. Il aurait aimé avoir la force de le veiller ainsi chaque soir, du coucher à l'aurore, pour intimider la mort par sa seule présence. Il ne craignait rien tant que d'être réveillé en sursaut par sa mère en pleurs qui lui annoncerait que c'était fini.

Les semaines s'écoulèrent et les mois. On arriva aux premiers jours de l'été, et l'épouse et le fils s'étaient repris à espérer. Le condamné vivait encore, entouré, le jour, de la sollicitude de sa femme, et préservé, la nuit, par la garde assidue de son fils. Celui-ci ouvrait souvent son dictionnaire à la page des mammifères marins et regardait Sally. Dans quelques semaines, une nouvelle fois, il retrouverait la jeune fille au bord de l'océan.

Le père conduisait, la mère somnolait et le fils assis sur la large banquette arrière caressait le velours des coussins en rêvassant. Il pensait à l'émotion qui l'étreindrait comme chaque année lorsqu'il apercevrait les premières crêtes des vagues, lorsqu'il sentirait sur ses lèvres le souffle de cette brise légèrement iodée. Il se répétait aussi que, vacances ou pas, il devrait continuer ses rondes nocturnes auprès du condamné. Il était persuadé que ces visites avaient empêché la mort de l'emporter. Il ne devait pas relâcher son effort. A aucun moment.

Il posa sa main sur l'épaule de son père, et les kilomètres lui parurent trop brefs. Il souhaita que le voyage durât éternellement. Il y avait dans cette voiture tout ce qu'il aimait. Il roulait vers Sally et les grands mammifères marins pendant que le vent de la vitesse qui s'engouffrait par la vitre lui caressait les joues.

Quand ils furent arrivés, il déchargea toutes les valises afin d'éviter le moindre effort à son père. Dans sa chambre qui donnait sur l'océan, il reconnut l'odeur de renfermé qui caractérise les maisons de vacances. Il renifla profondément et fut convaincu que, cette fois, l'été était arrivé. Il écarta les imposants rideaux de cretonne et se demanda si la marée était montante ou descendante.

Quelques jours plus tard, sur la plage, sa mère et lui eurent une conversation rapide pendant que l'incurable se baignait. Il fut question de son état de santé qui ne donnait aucun signe d'inquiétude particulière. La mère dit que le médecin avait peut-être porté un diagnostic un peu hâtif, ou qu'il s'était tout bonnement trompé, mais que dans les deux cas c'était très grave parce qu'on n'a pas le droit d'être aussi affirmatif et de priver les gens de tout espoir quand un doute subsiste. Elle ajouta que jamais elle ne pardonnerait son erreur à cet homme. Le fils éprouva une haine subite et violente à l'égard de ce cardiologue qu'il ne connaissait pas, mais qu'il se représentait ventripotent et condescendant, le visage barré par des lunettes en demi-lune. Puis ses yeux se portèrent vers les vagues. Il aperçut son père qui nageait contre elles. Ses bras frappaient l'eau à cadence régulière. Il battait l'océan comme un grand cétacé.

La nuit, le fils ne relâchait pas pour autant sa surveillance. Malgré la disposition peu favorable des pièces de la maison d'été, il continuait à se glisser jusqu'au chevet du père. Il était confusément pénétré de l'idée qu'à lui seul il avait intimidé la mort et la maladie. Souvent, il s'était demandé quelle explication il aurait bien pu fournir à son père si celui-ci l'avait surpris accroupi dans le noir.

Quand il retournait au lit après sa garde, il avait peine à trouver le sommeil. Alors il pensait à Sally qui dormait à quelques rues de là. Il n'avait plus honte de ses érections, il les accueillait même comme la récompense de son abnégation. Bien qu'élevé religieusement, il s'était détourné de Dieu. Il n'avait foi qu'en Sally, cette blonde bêcheuse. Pour elle, il était prêt à endurer le martyre. Il espérait qu'elle lui révélerait la vraie vie, la vie éternelle.

A la fin du mois, l'attitude de la jeune fille changea à son égard. Elle se montra plus accessible et passait de longues heures en sa compagnie, au bord de la plage, l'accompagnant dans d'interminables promenades. Elle acceptait qu'il lui tînt la main. Tous deux étaient grands et déjà formés pour leur âge. A contre-jour, ils ressemblaient à un couple, un couple vivifié par les bains de mer.

Un jour, à la fin de l'après-midi, tandis qu'une grosse barre de nuages noirs montait du large, ils s'assirent au creux d'une dune et évoquèrent leur vie. Il aurait aimé lui livrer son secret, lui parler de sa terrible mission auprès du condamné. Mais il n'en avait pas le droit. Alors il lui raconta que chaque soir, au retour de l'école, il la regardait, printemps comme hiver, trônant, en bikini, parmi les mammifères marins de son encyclopédie. Cela sembla plaire à Sally. Elle lui posa une foule de questions : d'où tenait-il cette photo, quelle coiffure avait-elle dessus, pouvait-il lui donner la couleur de son maillot, la date du cliché ? Et quand elle eut toutes les réponses à ses interrogations, quand elle fut certaine qu'il la contemplait avec une vénération sincère, elle se tourna vers lui et l'embrassa, d'abord sur la joue, puis sur la bouche. Le garçon l'enveloppa dans ses bras et ferma les yeux. Il fut bouleversé lorsque pour la première fois une langue entra dans sa bouche. Presque en même temps, il sentit sur sa peau tomber les première gouttes froides de l'orage. Il se demanda si son boxer-short parviendrait à dissimuler son érection soudaine. Il lui semblait que son bas-ventre se mettait soudain à vivre de manière fulgurante et autonome. Il n'avait aucune prise, aucun contrôle sur ce drageon vigoureux.

Elle n'entendait plus les explosions du tonnerre. Elle était toute avec lui, toute contre celui qui la couchait parmi les baleines. Et malgré l'averse, ils demeurèrent ainsi, collés l'un à l'autre. Quand il arriva chez lui, la nuit était presque tombée. Sa mère lui fit sèchement remarquer son retard, il s'excusa et monta dans sa chambre. Il s'allongea sur son lit, ferma les yeux et écouta son corps vivre à l'intérieur. Pendant le dîner, il demeura calme et silencieux, étranger aux conversations. Quand sa mère lui reprocha son manque d'appétit, il la regarda avec un sourire séraphique.

Dans sa chambre, allongé tout habillé sur le couvre-lit, il essayait de réfléchir à ces connexions subtiles qui pouvaient, à certains moments, relier l'âme et le sexe. Vaguement, il eut la perception qu'il était sur terre pour accomplir quelque chose et que chaque jour à venir serait aussi beau que celui qui venait de s'écouler. Il songea qu'à cette heure sa mère dormait au côté du condamné dans la chambre voisine.

Il se leva et quitta la pièce en silence. Sally lui avait donné rendez-vous sur la plage. En descendant les marches de l'escalier de bois avec mille précautions, il n'eut pas une pensée pour son père. Tous ses sens étaient tendus vers Sally, aveuglément.

Elle l'attendait à l'endroit prévu. Ils fondirent l'un sur l'autre comme deux taurillons aveugles.

Ils se séparèrent un peu avant cinq heures du matin. Elle était retournée chez elle en courant et, sous la lueur des lampadaires du front de mer, il l'avait regardée s'éloigner, alors que ses pieds, dans sa course, soulevaient une multitude de paillettes de quartz. Il regagna la maison familiale sans se presser. Comme un homme un peu las, encore enivré de plaisir.

En apercevant la lampe extérieure de la villa allumée et la porte du hall entrouverte, sa griserie se dissipa brutalement. Il comprit aussitôt qu'un malheur était arrivé, que la mort était venue prendre son père. Elle avait profité de son absence, elle s'était engouffrée dans la seule nuit où il n'était pas allé l'écouter respirer, la seule nuit où il avait déserté son poste de garde. Il songea même qu'elle avait utilisé Sally pour le détourner de son devoir. Sa cage thoracique l'emprisonnait, sa gorge s'obstruait. Il se rua dans l'entrée. Sa mère pleurait, assise sur la dernière volée de marches. Quand elle l'aperçut, elle se précipita vers lui et le prit dans ses bras. Elle n'avait pas besoin de parler, il savait tout. Il savait qu'à l'étage son père gisait, déjà livide et les yeux clos. Il savait qu'il avait failli à sa tâche, qu'il était coupable et de sa fin à lui et de son chagrin à elle. Il la serra très fort dans ses bras et implora son pardon.

C'est alors qu'une poigne saisit son épaule. Une poigne d'homme. Elle le fit pivoter sans ménagement et, les yeux aveuglés par la brillance de la lumière du hall, l'adolescent crut à une hallucination. Son père, l'incurable, le condamné, le mort, se tenait debout face à lui, immense. Par deux fois il vit sa main s'abattre et lui gifler le visage. La douleur était à la fois intense et insignifiante. La voix familière lui ordonna ensuite de monter dans sa chambre. Avant qu'il regagne l'étage, sa mère l'étreignit et lui murmura qu'il leur avait fait très peur. Il gravit quelques marches et se retourna pour s'assurer une dernière fois qu'il n'avait pas été corrigé par un fantôme. Dans l'encadrement de la porte, massif comme une falaise, le condamné fumait une cigarette en regardant le jour se lever.

ÉTÉ COMME HIVER

En ce premier jour des vacances, tous les avions étaient complets. Il n'y avait rien à faire. Autour des comptoirs, les gens se bousculaient pour se faire inscrire sur les listes d'attente. Ils avaient l'air défait, épuisé, ils semblaient fuir la guerre. J'avais une place dans le dernier vol de la nuit. Il était cinq heures de l'après-midi. Je me suis assis sur une banquette et j'ai attendu.

J'ai fermé les yeux. Je n'entendais que le bourdonnement de cette ruche vibrionnante, mais je ressentais toute la tension, l'exaspération qui régnaient autour de moi, comme on reçoit l'odeur de l'herbe coupée. J'ai écouté un moment les détonations de tous ces talons qui claquaient sur le sol, le froissement et le frôlement des tissus, la rumeur confuse, le bourdonnement des voix, le tintamarre des appels, puis je me suis laissé envahir par ce brouhaha informe au point de sombrer dans le sommeil.

Je n'ai pas dormi longtemps. Une demi-heure, tout au plus. Quelque chose ou quelqu'un m'a réveillé. Une voix plus aiguë que les autres ou le choc d'une valise contre la banquette. J'ai allumé une cigarette et j'ai croisé les jambes. Des hôtesses et des pilotes passaient devant moi. Je n'aimais pas ces gens en uniforme qui faisaient la pluie et le beau temps dans les avions. Je détestais la façon dont ils vous disaient ce que vous aviez à faire, où vous asseoir, quand fumer et vous déplacer. Leur comportement oscillait en permanence entre l'autorité et la servilité, la suffisance et l'obséquiosité. Je me suis frotté les yeux.

C'est alors que je les ai vus, tous les deux, juste en face de moi. Ils se tenaient debout côte à côte. Le père et le fils. L'homme devait avoir une trentaine d'années et l'enfant quatre ou cinq ans. Par instants, l'homme serrait l'enfant dans ses bras, lui passait une main dans les cheveux et lui murmurait quelque chose à l'oreille. J'ai pensé que l'homme était divorcé et que le gosse retournait chez sa mère. J'ai imaginé une histoire comme ça. Je ne parvenais pas à détacher mon regard de ces deux-là. J'aurais tout donné pour qu'ils restent ensemble une soirée de plus. Ils le méritaient. J'en voulais confusément à la femme qui les séparait. Et puis le gamin a embarqué et l'homme est resté seul. Il n'arrivait pas à partir, à quitter ce hall. Il était encore plein de l'odeur de son enfant, il le sentait se détacher, s'éloigner de lui, il le guettait dans le dédale des sas et des portes de verre. Après un long moment, il s'en alla d'une démarche pesante et fatiguée. Je me demandais s'il allait rejoindre quelqu'un ou passer la soirée seul. Quoi qu'il fasse, les heures à venir lui seraient pénibles. J'essayai de me rendormir. Je n'y réussis pas. A côté de moi, un type lisait le journal en se rongeant les ongles.

L'avion était bondé. Par le hublot, je voyais le noir infini de la nuit et une petite lumière blanche qui clignotait au bout de l'aile gauche. Les gens étaient excités et parlaient fort. Je pensais qu'à mon arrivée, à l'aéroport, personne ne m'attendait. Depuis que Maria m'avait quitté, plus personne ne m'attendait. Je rentrais et la maison était vide. Été comme hiver.

L'hôtesse passait dans l'allée avec son bar roulant. En cette fin de soirée, elle devait avoir mal aux jambes. Comme toutes les filles qui travaillent debout.

Le Sud était incomparable. La teneur de l'air, son odeur, cette bouffée de chaleur familière qui vous saisissait dès que vous sortiez du hall climatisé de l'aéroport vous disaient que désormais, quoi qu'il arrivât, vous étiez rentré chez vous.

La maison était plongée dans le noir. Je laissai le taxi s'éloigner et regardai le ciel. C'était un ciel d'été, vivant, grouillant d'étoiles. Je n'avais pas envie de pousser la porte de l'entrée, je préférai rester encore un moment dehors, assis dans l'herbe du jardin. Il me semblait que cette terre me reconnaissait, qu'elle m'accueillait et me souhaitait la bienvenue. J'eus moi aussi l'envie de lui dire combien j'étais heureux de la retrouver. Alors je branchai le tuyau d'arrosage et, avant de défaire mes bagages, j'arrosai le gazon pendant près d'une heure.

Ma chambre était blanche. La lumière de la rue dessinait quelques faibles ombres sur les murs. Depuis le départ de Maria, trois ans déjà, je dormais mal. Été comme hiver. Je n'avais jamais cessé de penser à cette femme, je ne m'étais jamais habitué à son absence. Au milieu d'une insomnie, il m'arrivait parfois de lui écrire tout ce que j'éprouvais encore pour elle. Mais toutes ces lettres finissaient à la poubelle. On ne fait pas revenir quelqu'un avec des mots. Non, il faudrait qu'un jour j'aille chez elle, que j'entre par force, que je la maintienne contre un mur et que je colle ma bouche sur ses lèvres. Oui, il faudrait qu'elle sente mon souffle sur sa peau et la force de mon corps plaqué contre le sien. Maria n'était pas une femme qu'on embobine avec des phrases.

Par la fenêtre, j'ai regardé les branches du vieil eucalyptus. Elles étaient aussi immobiles que les bras d'un mort.

Le jour m'a réveillé de bonne heure. Le ciel était déjà blanc de chaleur. J'ai bu un café assis sur les marches de la véranda et fumé ma première cigarette de la journée. Je repensais au gosse de la veille et à son père. Je me demandais ce qu'ils faisaient, où ils se trouvaient. Il était probable que la tristesse de l'enfant se fût un peu atténuée. J'espérais que le père n'avait pas passé cette nuit seul et qu'une femme était restée auprès de lui. Devant moi, un couple d'aigrettes sautillait dans l'herbe. Je les observai en pensant que les animaux, eux aussi, s'arrangeaient pour ne pas vivre seuls.

Je passai l'après-midi à marcher sur la plage. C'était ma façon de prendre de l'exercice. J'allais si loin des zones réservées à la baignade qu'il m'arrivait de me retrouver seul parmi les mouettes. Compte tenu de mon âge, je n'étais pas en mauvaise forme physique. Mon ventre restait plat, mes cheveux fournis et mes dents relativement saines. Au retour de ma promenade, j'aperçus un attroupement, au bord de l'eau. Des sauveteurs essayaient de réanimer un baigneur. Ils lui massaient le cœur et soufflaient de l'air dans les poumons. En retournant à ma voiture, je ressentis toute la vanité de l'existence. J'allais m'asseoir dans mon automobile et boucler ma ceinture de sécurité alors qu'au même instant, à quelques dizaines de mètres de moi, un homme s'engouffrait dans la mort en maillot de bain bleu pâle.

A la maison, je pris une longue douche avant d'arroser la pelouse. Dans la lumière du couchant, l'herbe semblait aux aguets, dressée comme les oreilles d'un chien de chasse.

— Monsieur Lowenstein ?

Je me retournai. Un homme de forte corpulence, un porte-documents à la main, se tenait devant moi. Il portait des lunettes à monture d'écaille et ses cheveux noirs étaient plaqués en arrière.

— Vous êtes bien Léo Lowenstein ?

— Oui.

— Je me présente : Julius Facetti, avocat. Je voudrais vous parler.

Je fermai le robinet d'eau et enroulai sans me presser le tuyau sur son support. Julius Facetti attendait sans manifester d'impatience. Quand j'eus terminé, il me déclara :

— Je suis l'avocat de votre femme. Elle veut divorcer et m'a prié de trouver avec vous un terrain d'entente. Elle souhaite que tout se déroule le plus simplement et le plus rapidement possible. Qu'en pensez-vous, monsieur Lowenstein ?

Je n'en pensais rien. Je me demandais seulement pourquoi Maria ne m'avait pas elle-même appelé pour me parler de tout ça, pourquoi elle avait fait appel à ce type déplaisant et sûr de lui.

— Ma cliente vous propose une entrevue demain en fin de matinée, à mon cabinet.

Facetti avait ouvert sa serviette d'où il avait extrait deux feuillets dactylographiés.

— Voici le protocole que nous vous soumettons. Je vous en laisse un exemplaire. Puis-je confirmer notre rendez-vous à Mme Lowenstein ?

— Si vous voulez.

— Bien. Très bien. Je suis ravi de vous avoir rencontré, monsieur Lowenstein.

L'avocat me serra la main et se glissa avec peine dans une grosse Volvo grise. Il alluma une cigarette puis démarra lentement. Je repris mon tuyau. Mais, cette fois, au lieu d'arroser la pelouse, je m'aspergeai le visage.

Le bureau de Facetti était meublé de façon prétentieuse. L'avocat lisait un texte qui n'en finissait pas. Je regardais ma femme et je me demandais ce que nous faisions là, pourquoi nous finissions notre vie si misérablement, côte à côte et silencieux, face à ce témoin sordide. Qu'étions-nous devenus pour nous avilir ainsi ?

A l'issue de cette pénible confrontation, Maria et moi fîmes quelques pas dehors, sur le trottoir. Elle dit :

— Je suis désolée de t'avoir contraint à cette comédie.

— C'est pas grave.

— Je n'avais pas le choix.

— Je comprends.

— Tu es au courant ?

— De quoi ?

— Je vais me remarier.

— Non, je ne savais pas.

— Et je vais avoir un enfant.

— Tu veux dire que tu es enceinte ?

— Oui. Mais je n'ai pas envie de parler de ça. Comment vas-tu, toi ?

Je n'ai rien répondu. Je l'ai plantée là et je suis parti sur l'avenue à grandes enjambées. La terre semblait rouler sous mes pieds. Je me sentais comme un hamster prisonnier dans sa roue. Toute la journée, je ne tins pas en place. Je mis d'abord de l'ordre dans la maison puis je nettoyai le garage. En fin d'après-midi, je fis brûler des feuilles et un tas de branches sèches. Une légère brise dispersa la fumée qui flottait dans le jardin, le soleil disparut derrière l'horizon et un vague sentiment de paix m'envahit.

Tout ce qui pouvait arriver à Maria ne me concernait plus. Je n'avais plus rien à voir avec elle ni avec ce qui se tramait dans son ventre. Cet enfant à venir que je me représentais accroché comme un hameçon à ses viscères me détachait d'elle. Ce petit ver avait sectionné le dernier lien qui nous unissait. Je ne savais pas encore si, en procédant ainsi, il m'enlevait l'un des derniers lambeaux de mon existence ou si, au contraire, il me redonnait le souffle de vie.

Je me souviens que, vers minuit, je suis entré dans un bar du front de mer. Je me souviens avoir bu plus que de raison à côté d'une fille aux bras dorés. Je me souviens de sa voix chaude et apaisante. Je me souviens lui avoir demandé si elle avait déjà vu un enfant quitter son père dans un aéroport, si elle avait déjà aimé quelqu'un au point d'en perdre le repos, au point d'en pleurer la nuit, debout devant une fenêtre, été comme hiver. Je me souviens de quelques digressions gynécologiques sur la rapacité des organes féminins toujours prompts à susciter la vie qui ne demande rien, à transformer le bonheur en devoir. Je me souviens de ma

main qui recherchait sans cesse un appui. Je me souviens d'avoir glissé de mon tabouret. Je me souviens de
visages penchés autour du mien comme si j'étais un
noyé. Je me souviens d'une voix qui a dit : « Vous vous
sentez comment ? » Je me souviens d'avoir souri en
répondant : « Comme un type qui va bientôt être père. »

SUR LE CANAPÉ

— Tu pourrais quand même m'expliquer.

— Il n'y a rien à expliquer.

— Tu te moques de moi ? On vit ensemble depuis dix ans et ce soir, par hasard, je rentre du bureau une heure plus tôt que d'habitude et je te trouve dans la chambre, maquillé comme une pétasse, emmailloté dans une culotte transparente et en train d'enfiler des bas, et tu me dis avec de grands airs qu'il n'y a rien à expliquer !

— Tu as vu, non ? Qu'est-ce que tu veux que j'ajoute ?

— Ce que cela signifie. Tu fais ça souvent ?

— Tous les soirs.

— Tous les soirs ! Depuis quand ?

— Depuis toujours.

— Tu veux dire depuis qu'on se connaît ?

— Avant aussi.

— Je ne peux pas le croire.

— C'est comme ça.

— Tu es en train de me faire marcher.

— Je t'assure que non.

— Et ça te fait quoi ?

— Ça me plaît.

— Ça s'arrête là ?

— Qu'est-ce que tu veux dire ?

— Tu as parfaitement compris. Je veux savoir si ça va plus loin. Si tu as des tendances.

— Quelles tendances ?

— Ne fais pas l'imbécile ! Je te demande si tu es homosexuel !

— Oui.

— Quoi ?

— Tu m'as questionné, je t'ai répondu.

— Tu es pédé, toi ?

— Si tu veux.

— Comment ça, si je veux ?

— Calme-toi.

— C'est la meilleure ! Je vis avec un type depuis dix ans, j'apprends par hasard un soir qu'il est homosexuel et il faut que je reste calme ! Ça t'a pris il y a longtemps ?

— Depuis toujours.

— Tu veux dire que tu l'étais déjà quand on s'est mariés ?

— Oui.

— Mais tu es fou ! Tu es malade !

— Ça ne sert à rien de te mettre dans cet état.

— Je crois rêver ! Dites-moi que je rêve ! Donne-moi une cigarette !

— Tu as arrêté de fumer.

— Ah, je t'en prie ! Donne-moi une cigarette ! Bon Dieu, je suis gâtée. J'avais un frère pédé, un oncle pédé et maintenant j'apprends que mon mari l'est aussi. Franck sait que tu es comme ça ?

— Oui.

— Vous en avez parlé ?

— Si on veut.

180

— Comment, si on veut ? Tu ne peux pas essayer
d'avoir des réponses claires, un peu ? Attends, ne me
dis pas que toi et mon frère... non, pas toi et Franck ?

— Je n'ai pas envie de parler de ça.

— Tu couches avec Franck ? Tu me trompes avec
mon frère ? C'est ça ?

— Tu n'es pas en état de parler de ces choses-là.

— Toi et Franck dans le même lit ! Mon mari avec
mon frère, ça dépasse tout !

— Je vais me changer.

— Ah non ! Non, laisse-moi encore t'admirer,
laisse-moi m'habituer. Tu tapes mon frère ! Je ne
peux pas le croire. Toi avec ce nabot, c'est impossible.

— Ne parle pas comme ça de Franck.

— Non mais, écoutez-le : « Ne parle pas comme ça
de Franck. » Tu te rends compte, espèce de salaud !

— C'est toi qui ne te rends pas compte. Si je ne t'ai
pas quittée, c'est à cause de lui. Je voulais qu'on vive
ensemble, mais il a toujours refusé par égard pour toi.

— Tu voulais vivre avec lui ?

— Exactement. Je l'aime et je voulais vivre avec lui.

— Ça suffit. Je ne pourrai pas en écouter davantage,
va te changer.

— Je n'ai plus envie de me changer.

— Tu t'es vu avec tes jambes poilues et tes machins
qui dépassent de la culotte ? Tu es abject. Ridicule et
abject !

— Franck n'est pas du même avis.

— Ne me parle plus de ce type !

— C'est ton frère.

— C'est une petite salope ! Voilà ce que c'est. Et toi
qui me trompes avec lui, tu es pire, parce que toi tu es
marié.

181

— Je suis désolé de te faire de la peine.

— Tu es désolé ? Mais de quoi un type comme toi peut-il être désolé ! Et ça se passait où, vos affaires ?

— Quelles affaires ?

— Ah, s'il te plaît, ne prends pas en plus ton air de faux cul !

— Chez lui. Parfois ici.

— Ici ?

— Oui.

— Où ?

— Ça n'a pas d'importance.

— Où ?

— Sur le canapé.

— Sur le canapé ? Vous vous êtes tripotés là-dessus ?

— Je t'en prie.

— Donc, si j'étais rentrée plus tôt de mon travail comme aujourd'hui, j'aurais pu surprendre mon mari en train d'enfiler mon frère sur le canapé !

— Cesse d'être vulgaire.

— Moi, vulgaire ?

— Oui, quand tu parles comme ça, tu l'es.

— Tu as pensé à tes enfants ?

— Souvent.

— Et malgré eux, tu voulais aller vivre avec leur oncle !

— Les enfants sont en dehors de tout ça.

— Pauvre crétin ! Tu sais comment ils l'appellent, ton Franck chéri ? Tu sais comment ils le surnomment, leur oncle ? Tata ou tantine.

— Ils savent, pour Franck ?

— Mais tu es fou ou quoi ? La famille, la ville, la terre entière sait que mon frère est homo !

— C'est affreux.

— Qu'est-ce qui est affreux ?

— Que les enfants sachent.

— Ce qui serait plus ennuyeux, c'est qu'ils apprennent que leur père tripote leur oncle sur le canapé du salon !

— Je t'en prie !

— Tu n'as à me prier de rien du tout. Je ne dis rien d'autre que la vérité. Et tu ne me la feras pas fermer ! Qu'est-ce que tu comptes faire ?

— Quoi, qu'est-ce que je compte faire ?

— Tu ne penses quand même pas que je vais continuer à vivre avec toi ! Que je vais partager mon lit avec un type qui se tape mon frère !

— Écoute, il faut voir les choses autrement. Je pense que maintenant que tu sais, et lorsque tu seras plus calme, on pourrait avoir, ensemble, une conversation avec Franck.

— Non, mais tu rigoles ? Tu es vraiment cintré.

— Essaie de te détendre. Je vais me changer. Les enfants ne vont pas tarder à rentrer. Pense à ce que je t'ai dit au sujet de Franck. Je pense que c'est la meilleure solution.

— Mais bien sûr ! On va tous s'asseoir sur le canapé et discuter. Je dirai à Franck : « Je t'aime parce que tu es mon frère, toi, tu aimes mon mari parce qu'il met des culottes transparentes et lui m'adore parce que je suis sa femme. Bref, c'est formidable, on s'aime tous, continuez vos petites affaires pendant que je suis à mon travail, et restons une famille unie.

— On peut réfléchir autrement au problème. Nous sommes des adultes.

— Écoute-moi bien ! Tu vas te rhabiller en quatrième vitesse et filer dormir où tu veux ! Je ne peux pas te supporter ici une minute de plus ! Disparais ! Va demander l'hospitalité à ce cher Franckie !

— Qu'est-ce que tu vas dire aux enfants ?

— Je me fous des enfants !

— Tu n'as pas le droit de parler comme ça.

— Fous le camp ! Fous le camp !

— Je ne retrouve pas mon pantalon.

— Tu n'as qu'à mettre une de mes jupes !

SNACK-BAR

Elle avait des yeux clairs comme des taches d'eau.
Ils faisaient penser à deux flaques au milieu d'une peau
terreuse. Ses cheveux étaient ramenés en arrière, mais
des mèches rebelles pendaient sur ses joues. Les
manches de son gilet de laine pourpre, grossièrement
retroussées, comprimaient ses avant-bras. Elle man-
geait en silence une purée de haricots rouges avec du
fromage blanc. Son mari, assis en face d'elle, suçait un
cure-dent en fixant son verre de bière vide. Parfois le
bruit d'un camion le tirait de sa torpeur. Il allumait une
cigarette et passait sa main sur son visage. Il ne trans-
pirait pas. Par ce geste, on aurait dit qu'il tentait d'es-
suyer sa fatigue. Le col de sa chemise largement ouvert
laissait apercevoir son cou plissé ainsi qu'une chaîne
dorée et sa médaille. Sous la table, la femme balançait
mollement une de ses jambes. Le pantalon de l'homme
ne frémissait pas. Ses chaussettes s'affalaient sur ses
chevilles.

Des mouches couraient sur les tables vides et tétaient
parfois des auréoles sucrées.

Après avoir essuyé ses lèvres sur une serviette en
papier et sommairement arrangé le désordre de sa chevelure, la femme appuya ses mains rouges sur le rebord

de la table, se souleva avec peine et, sans une parole, sur ses chevilles lourdes, sortit du snack. L'homme demeura immobile, les bras croisés, songeant au temps qu'il leur restait à vivre ensemble ou séparément.

LA LOI DE CORIOLIS

« Tout a une explication, une raison d'être ou de disparaître. Les seules lois qui nous régissent sont celles de la physique et de la mécanique. Elles contiennent l'ordonnance même du monde. Rien n'est plus agréable que de se sentir calé entre les évidences et les certitudes de la matière. »

Il se disait cela en lui-même et il marchait. L'après-midi était doux. Il venait de se raser.

« La force des choses est supérieure à celle des gens. »

Il alluma une cigarette, se délecta de l'incandescence fervente du soufre et reprit sa promenade en songeant au théorème de Coriolis et aux vortex : « Remplir une baignoire, la vider et observer le sens de rotation de l'eau quand elle s'engouffre dans le siphon. Dans l'hémisphère Nord, elle s'enroule de droite à gauche, dans l'hémisphère Sud, de gauche à droite. »

Il s'assit sur un banc et songea à sa propre vie. Il la mit en perspective avec l'inversion du sens de rotation des eaux usées et se demanda si tout ce qui allait de travers dans son existence dans cet hémisphère Nord tournerait dans le bon sens dès qu'il franchirait la barre de l'équateur. Coriolis avait émis, avant toute chose, un théorème d'espérance. Ce qui allait mal quelque part s'arrangeait forcément ailleurs.

« Dans le fond, est-ce bien important de savoir si l'on quittera le monde en s'écoulant de droite à gauche ou de gauche à droite ? Je ne sais pas. Mais je ne dois pas m'effrayer à l'avance du vide et de l'ampleur de l'égout. Le théorème est une approche du néant qui ne prend pas en compte la destinée de l'être mais l'ordre de la terre qui le recouvrira. C'est une observation, pas un point de vue. Le départ est-il moins douloureux au sud qu'au nord ? »

Son esprit était en proie à une grande confusion. Il sentait qu'en lui la maladie se propageait comme une rumeur, insidieusement. Il n'avait jamais oublié Coriolis à cause du *Coriolan* de Beethoven. Cela n'avait aucun rapport. Mais quel rapport existait-il entre un homme et une femme, une feuille et un arbre, un père et son fils ?

Une douleur désormais familière lui stria le dos. Il n'y attacha pas une attention particulière. La lumière du couchant se reflétait dans les vitrines des magasins. L'avenue le conduisait tout droit vers l'océan. A cet instant, il aurait aimé se laver les mains. Et puis partir avec l'eau, s'enroulant sur lui-même, en accord avec les lois de la Terre. Il se sentait prêt.

LES LARMES DES POISSONS

Après notre divorce, Judith, ma femme, s'est rema-
riée avec un directeur de garage qu'elle a absolument
tenu à me présenter. Francis est détestable. Il possède
une grosse voiture, une grosse montre en acier, une
grosse gourmette en or, une grosse maison, deux gros
enfants qu'il a eus lors de sa précédente union avec une
grosse femme, de grosses lèvres, de grosses joues et
trente-deux, peut-être même trente-quatre grosses
dents. Sa bouche est plus impressionnante qu'un piège
à loup. Francis est un sale type et Judith vit avec lui.
Pire, elle a l'air heureuse. Je suis malade rien qu'à
l'idée de penser que mes enfants mangent à la table de
ce rustre et entendent mastiquer tous les jours ces
mâchoires de fauve. Il y a pire. Francis sent l'essence.
Il sent réellement l'essence. Sans doute à cause de son
métier. En tout cas, c'est insupportable. Quand on lui
serre la main, on a l'impression de décrocher le tuyau
d'une pompe de super.

Depuis que j'ai rencontré cet homme, la nuit, je me
réveille en sursaut, le corps couvert de transpiration.
Dans mes cauchemars, je vois Francis me sourire de
tous ses crocs et Judith me mordre la jambe jusqu'au
sang, je vois mes enfants pleurer devant la porte d'un

orphelinat, je les vois tous tourner autour de moi comme des planètes hostiles.

Il m'arrive aussi de penser que Judith pourrait tomber enceinte de Francis. Je crois que je ne pourrais pas le supporter. Je ne peux accepter l'idée que mon ex-femme porte en elle le germe d'un tel monstre. Je me souviens du jour où elle m'avait annoncé qu'elle attendait notre premier enfant. Elle m'avait embrassé longuement avant de disparaître dans la salle de bains pour se laver les cheveux. Par la porte entrouverte, j'avais admiré les formes de son buste incliné vers la baignoire. Je me souviens à l'époque l'avoir trouvée pleine de vie. Ce soir-là, il n'y avait plus eu pour moi qu'une femme sur terre.

Il paraît que Francis souffre de ma froideur. Il voudrait que nous soyons amis. Je ne serai jamais ami avec un type qui sent le super. Hier, croyant bien faire, Judith m'a avoué que Francis était très doux et même tendre dans l'intimité. Elle pensait surtout aux enfants et voulait me rassurer.

Avant de rentrer chez moi, j'étais tellement déprimé que, pendant un moment, j'ai longé la rive du fleuve. L'eau était noire et bouillonnante. De l'eau douce, mêlée, j'en étais sûr, aux larmes des poissons.

Ce soir, Francis m'a téléphoné. Il m'a proposé d'essayer sa nouvelle voiture.

NOCES DE LUNE

Il gara la voiture sur le parking. Tandis que le moteur tournait encore au ralenti, il observa le frémissement des aiguilles des compteurs. Il passa ses doigts sur ses yeux, regarda la femme qui dormait à côté de lui sur le siège du passager et hésita à couper le contact de peur de la réveiller. Il demeura un long moment à écouter la pluie résonner sur le pavillon de l'auto en se disant, sans savoir vraiment pourquoi, qu'il se souviendrait longtemps de cet instant. Sa compagne souleva la tête.

— On est arrivés ?

— Oui.

— Je dors depuis longtemps ?

— Deux heures.

— Tu dois être fatigué ?

— Ça va.

— On est où ?

— Dans un motel.

Derrière une vitre, dans le bâtiment principal, ils virent la silhouette d'un homme qui les observait. La pluie qui ruisselait sur le pare-brise rendait flous les contours de son visage. Il tenait ses mains derrière le dos. Ils sortirent leurs bagages et traversèrent la cour sous l'averse. Quand ils franchirent le seuil du hall, l'homme se tenait debout devant son comptoir. Il portait de grosses lunettes d'écaille et son regard se noyait dans l'épaisseur des verres à double foyer.

— Il vous reste une chambre ?

Le propriétaire se dirigea vers le tableau des clés, en prit une au hasard, la tendit au couple en murmurant d'une voix à peine audible tant elle était grave :

— Bungalow numéro trois.

La chambre n'était pas très grande. Son unique fenêtre donnait sur la route et la mer qu'elle longeait. Il n'y avait pas de plage, tout au plus une bande de terre sale et sablonneuse.

— C'est pas terrible pour une nuit de noces, dit l'homme.

— Ça n'a pas d'importance.

— Quand même, ça aurait pu être mieux.

Ils étaient serrés l'un contre l'autre, face à la vitre qui vibrait légèrement au passage des camions. Ils commençaient leur vie un jour de semaine, en bordure d'une nationale. Ils ne la voyaient pas, mais au-dessus de leur logement clignotait l'enseigne bleue du motel Calypso.

Elle inspecta la salle de bains et la minuscule cuisine. En défaisant les valises, elle dit :

— C'est presque un petit appartement.

Il pensa qu'elle était sa femme pour la vie. Il alluma une cigarette et brancha la télévision. Sur l'écran, un homme parlait de la Lune, une maquette dans les mains.

— L'alunissage, c'est ce soir. Ils le retransmettent en direct.

Il ne faudra pas oublier de le regarder. C'est à quelle heure ?

— Ils ne l'ont pas dit.

— De toute façon, on s'en souviendra.

— De quoi ?

— De la date de notre mariage.

— C'est sûr. Aujourd'hui, pour tout le monde, ce sera le jour de l'alunissage. Pour nous, ça restera celui de notre mariage.

Elle retira le couvre-lit et le rangea sur la chaise.

— Tu crois qu'il y a des gens qui ont déjà passé leur nuit de noces sur ce matelas avant nous ?

— Ça m'étonnerait.

— On a tellement eu de nuits ensemble avant celle-ci que de, toute façon, ce n'est pas vraiment une nuit de noces.

— Ne dis pas ça. Une nuit de noces, c'est toujours une nuit de noces.

Il se dirigea vers la fenêtre. La pluie redoublait d'intensité. Il songea à la vie qui les attendait, une vie qui ressemblerait à cette route mouillée, une vie difficile. Alors, à cette nuit de noces, oui, il y tenait. Il fallait bien commencer le chemin, il fallait prendre un bon départ. Il croyait à ces choses-là.

Elle s'enferma dans la salle de bains et s'assit sur la cuvette des toilettes. Ses yeux balayaient distraitement le carrelage et s'attardèrent sur une boule de poils et de cheveux enchevêtrés au bord de la plinthe. Elle passa les mains sur ses jambes et constata que l'efficacité de son épilation avait été de courte durée. Devant le lavabo, dans la glace en partie écaillée, elle examina son visage et se dit qu'elle n'était plus très jeune. Ce mariage était pour elle inespéré. Elle se jura qu'elle resterait à jamais fidèle à l'homme qui l'avait aimée malgré les imperfections et l'usure de ses traits. Sa coiffure était un peu retombée. Elle observa ses seins de

profil. Ils pouvaient encore faire illusion. Elle essaya
les robinetteries. L'eau chaude mit du temps à venir.
« C'est comme ça partout », songea-t-elle. Et elle sortit de la salle de bains.

Il s'était déchaussé et allongé sur le lit. Les mains
derrière la nuque, il regardait la télévision.

— Ils ont donné l'heure de la retransmission ?

— Pas encore.

— Ça te fait quoi de penser que des hommes vont
marcher sur la Lune ?

— Rien.

— Tu arrives à l'imaginer ?

— Je ne sais pas. C'est difficile.

— Je ne comprends pas comment ils font pour tout
calculer, pour que tout tombe juste. Remarque, je ne
sais même pas comment les images arrivent dans un
téléviseur.

— Moi non plus.

— Et pourtant on les regarde tous les jours.

— Viens t'allonger près de moi.

— Je vais froisser ma robe.

— Enlève-la.

— A condition que tu attendes ce soir.

— J'attendrai.

Elle fit glisser sa fermeture à glissière et posa délica-
tement son vêtement sur le couvre-lit. Elle portait une
culotte et un soutien-gorge blancs qui faisaient ressor-
tir par endroits la course de quelques veines bleutées.

— Tu as promis.

Il avait promis. Et de toute façon il n'éprouvait pas, à
cet instant, l'envie de trahir son serment. Ce corps, il le
connaissait. Presque autant que le sien. Elle se faufila
dans les draps et posa la tête sur son bras. Il glissa les

doigts dans ses cheveux, mais les retira aussitôt de peur de déranger sa coiffure. Alors il caressa la peau de son épaule en disant :

— Tu as mis beaucoup de laque.

— Il faut bien les faire tenir. J'ai des cheveux qui ne valent rien.

— On est bien.

— C'est dommage qu'il y ait le bruit de la route. Comment crois-tu que sera notre vie ?

— Comme celle des autres. Avec des hauts et des bas.

— Même si ça ne va pas fort à certains moments, il ne faudra pas se quitter. Il n'y a rien de pire que les séparations.

— Ne parle pas de ça aujourd'hui.

— Il faut y penser.

— Pas aujourd'hui.

Ils restèrent blottis l'un contre l'autre, silencieux. Elle, préoccupée par cet avenir qu'ils avaient à bâtir, lui, revoyant cette femme qu'il avait aimée comme aucune autre, à s'en rendre malade, et qui l'avait plaqué il y avait de cela trois ans.

Vers huit heures, ils s'habillèrent et décidèrent d'aller dîner au restaurant. Il n'avait pas voulu qu'elle fît la cuisine le soir de leur nuit de noces. Alors ils étaient sortis. Ils avaient pris la voiture et roulé jusqu'à ce qu'ils trouvent un endroit qui leur plût, face à la mer. Dehors, ils détaillèrent la carte. Elle dit :

— Tu ne crois pas que c'est trop chic ?

— Tu ne vas pas commencer.

— Tu as raison, c'est un grand jour, on y va.

Un maître d'hôtel les reçut et les conduisit à une petite table près de l'entrée.

— Vous n'en avez pas une d'où l'on voie la mer ?

— Elles sont toutes réservées, monsieur.

Ils s'installèrent à la place qu'on leur avait assignée. Elle remonta sa coiffure, il alluma une cigarette. Ils lurent les menus en s'interrogeant sur le sens des intitulés sibyllins des plats.

— Tu as raison, ce n'est pas un endroit pour nous, dit-il.

— Tu as vu la façon dont t'a répondu le garçon ? On aurait dit que tu lui demandais la lune.

— C'était ce soir ou jamais.

— De quoi faire ?

— De lui demander la lune.

Elle sourit et passa sa main sur celle de son mari. Ils choisirent un plat chacun, un plat dont ils ignoraient tout, un plat qui les intimidait. Quand le serveur apporta leur assiette, ils furent tout étonnés de découvrir la banalité de leur choix. Elle chuchota :

— Ils se foutent du monde. Je ferais ça aussi bien qu'eux. C'était pas la peine de mettre des noms aussi ronflants sur la carte pour nous servir ça.

— C'est bon quand même.

— Au prix où c'est, ça peut l'être.

Ils burent du vin et deux grandes tasses de café. Elle examinait la toilette des femmes qui dînaient aux tables voisines. Elle observait leur cou, les bijoux qui scintillaient sur leurs doigts, toutes ces lèvres rouges et souples qui dansaient au milieu de ces visages à la peau soignée. Elle enviait ces vêtements portés avec aisance. Elle pensait à sa robe, sa robe unique, si commune, si étriquée. Soudain, elle se sentit laide et pauvre.

Il tirait sur sa cigarette et faisait des ronds de fumée avec sa bouche. Il faisait des ronds de fumée depuis le jour où il avait lu que Charlie Chaplin avait déclaré qu'il léguerait le quart de sa fortune à la personne qui serait capable de réussir devant lui sept ronds concentriques. Il n'avait jamais oublié cette histoire. Et, depuis des années, il s'entraînait. Ce soir-là, il réussit trois ronds.

— Tu es agaçant, avec ton habitude de faire des ronds.

— Ça n'embête personne.

— Moi, ça m'embête. Tu es le seul ici à en faire. Je trouve ça vulgaire.

— Je ne vois pas ce que ça a de vulgaire.

— Ça fait le type qui s'ennuie avec la fille qu'il a invitée à dîner et qui fait des ronds pour passer le temps.

— Je ne m'ennuie pas, je réfléchis.

— A quoi tu réfléchis ?

— A la vie qui nous attend.

Il aspira sur sa cigarette et dessina dans l'air trois superbes colliers de fumée. Le quatrième se disloqua dès qu'il franchit la barrière de ses lèvres.

Après avoir réglé l'addition, ils se levèrent de table. Debout, elle eut le sentiment de se retrouver toute nue. Avec son sac, elle dissimula du mieux qu'elle put son corps et sa robe dont elle avait honte. Il la prit par l'épaule, et en flânant ils allèrent voir la mer avant de retourner à la voiture. Ils roulèrent un moment en écoutant la radio puis regagnèrent le motel. Alors qu'il s'engageait sur le parking, elle dit :

— Je n'avais pas vu que ça s'appelait motel Calypso. C'est quoi le calypso, une danse, non ?

— C'est une musique aussi, je crois.

— On n'a presque jamais dansé ensemble.

— On n'en a pas eu l'occasion.

Le hall était faiblement éclairé. Il n'y avait personne derrière le comptoir. Il attendit quelques instants puis sonna sur la clochette d'appel. Une voix qui venait de loin mais qu'il reconnut sans peine grogna : « Les clés sont sur le tableau. »

L'écran de télévision brillait dans le noir de la chambre. Ils s'avancèrent et se postèrent devant. Ils virent des images un peu brouillées, imparfaites, des images fixes qui venaient de la Lune. Le commentateur disait : « Jamais nous n'oublierons que le 20 juillet 1969, le LEM s'est posé sur la mer de la Tranquillité à seulement 6,4 kilomètres du point prévu. »

— Merde, on a raté l'alunissage.

— Tu crois ?

— Regarde, ce qu'on voit là, ce sont les pieds de l'engin, et là c'est le sol de la Lune. Il est quelle heure ?

— Onze heures trente.

— Ils vont peut-être sortir bientôt. Ils ont dit qu'après l'alunissage deux astronautes marcheraient sur la Lune.

Ils s'assirent côte à côte au pied du lit, face à la télévision. On aurait dit qu'ils regardaient une crèche. Leurs yeux fixaient intensément cette parcelle de Lune.

Ils demeurèrent ainsi à contempler la poussière de cette planète pendant deux heures. Puis elle dit :

— Tu ne trouves pas que c'est une drôle de nuit de noces ?

Il se tourna vers elle, vit ses yeux et son visage fatigués, ses mains rougies, sa robe qui la serrait un peu trop. Il répondit :

— C'est une drôle de nuit tout court.

Elle se leva et se dirigea vers la salle de bains. Il

entendit le bruit de la robinetterie et fixa de nouveau les images du poste.

Elle ressortit nue de la salle d'eau. Son corps faisait une tache claire dans l'obscurité. Quand elle s'allongea sur le lit à plat dos, il remarqua que ses seins s'aplatissaient et s'écartaient de façon symétrique vers ses aisselles. Dans cette position, sa femme avait une poitrine d'adolescente. Il vint à elle, guidé par les fragrances de son parfum mêlées aux effluves laiteux de la savonnette. Elle prit son visage entre ses mains et l'embrassa. Il ferma les yeux pour ne plus voir la Lune. Elle le caressa longuement ainsi qu'elle avait l'habitude de le faire, puis elle murmura :

— Ce soir, il faut que tu me fasses ça comme jamais, pour que je m'en souvienne toute la vie.

Il roula sur elle en la serrant très fort, mais aussi en pensant qu'elle n'aurait jamais dû lui demander une chose pareille, que c'était le plus sûr moyen de tout faire rater. Elle commença à gémir avant qu'il ait entrepris quoi que ce fût, tant elle avait le désir d'être heureuse.

Elle était assise sur lui. Il entendait sa respiration voler dans l'air comme un nuage de sauterelles. Ses cuisses et ses fesses battaient régulièrement contre son corps. Ses cheveux demeuraient immobiles dans leur gaine de laque. Lui, pendant ce temps, regardait la Lune.

Soudain, il se redressa et la saisit par les épaules.

— Ça bouge.

— Qu'est-ce qui bouge ?

— Ils sont sortis. J'ai vu quelque chose passer sur l'écran.

Elle fit une légère grimace quand il se détacha d'elle

sans précaution. Il bondit vers la télévision et tourna le bouton du son : « A 3 h 56, Neil Armstrong a été le premier homme à poser un pied sur le sol de la Lune. Edwin Aldrin le suit. Les images que nous voyons sont extraordinaires. Mais, à un moment pareil, on ne peut s'empêcher de penser à Collins qui, lui, est resté dans le LEM. Il aura fait tout ce voyage et pourtant lui ne sortira pas. Oui, en ce moment, il faut songer à lui.

Ils étaient allongés côte à côte. Leur nuit de noces touchait à sa fin. Au plaisir de leurs propres corps ils avaient préféré le spectacle du bonheur des autres. Nus, couchés sur le dos, ils ressentaient comme jamais la pesanteur de vivre sur terre. Ils ne se désiraient plus. Ils auraient aimé s'avouer qu'ils n'avaient plus qu'une envie : en terminer avec cette nuit, quitter le motel Calypso, rentrer chez eux et commencer une journée ordinaire.

Mais, en silence, ils écoutèrent chacun de leur côté les bruits qui venaient de la Lune.

Quand la retransmission fut terminée, il se leva pour débrancher l'appareil. Elle se glissa dans les draps et se tourna vers le mur de la salle de bains. A son tour, il se coucha et posa la main sur son épaule. En attendant le sommeil, peut-être songeaient-ils à Collins, celui qui n'était pas descendu de la capsule, celui qui avait frôlé le bonheur et qui leur ressemblait. Elle ferma les yeux. Il les garda ouverts beaucoup plus longtemps.

LES YEUX ROUGES

Cela faisait des mois que je marchais sans destina-
tion précise, que j'avançais irradié de soleil, desséché
par la chaleur. A force de sillonner ces routes, j'avais
appris à reconnaître les différentes granulations des
goudrons et à mesurer leur résistance à la canicule. Je
m'étais familiarisé avec l'odeur âcre qu'ils dégageaient
en se ramollissant et qui rappelait certaines fois celle de
la réglisse fondue.

Il m'arrivait aussi de me reposer et de m'asseoir en
bordure de voies peu fréquentées. Si l'on observe bien
le sol, avec une certaine habitude, l'on aperçoit toujours un bourdon, un criquet, un taupin ou une carpo-
capse qui agonise en se débattant entre les filaments de
l'herbe.

Ce jour-là, je marchais depuis l'aube et l'après-
midi touchait à sa fin. Je me trouvais sur une petite
route, plate, bordée d'une lande brune désertique. Le
ciel prenait des couleurs poudrées et quelques flocons
de nuages montaient à l'horizon. L'air était encore
lourd et brûlant, la terre n'avait pas commencé à refroidir.

J'entendis venir la camionnette de loin. Le bruit
rauque de son moteur m'était parvenu avant même que

je la voie. Quand elle fut sur le point de me dépasser, je me retournai pour la regarder. J'hésitai à héler le conducteur pour qu'il me prenne à son bord. La beauté du couchant me dissuada de me désolidariser du paysage. J'en faisais partie intégrante, j'étais l'un des éléments qui le composaient, un être en marche au milieu de toute cette étendue. Lorsque le véhicule arriva à ma hauteur, il fit tressaillir le sol, et le déplacement d'air qu'il provoqua me donna l'illusion éphémère d'un peu de fraîcheur. Un instant plus tard, je ne vis plus que les deux yeux rouges des feux arrière qui tressautaient sur les inégalités du chemin. Déjà à bonne distance, et comme en proie à une transe subite, ces lumières de position se mirent à valser d'un côté et de l'autre de la route. La camionnette sembla se soulever du sol, bascula sur un flanc avant de capoter et de rouler à trois ou quatre reprises sur elle-même.

Le crépuscule tressaillit sous le fracas des tôles, puis le silence du soir retomba sur cet amas de ferraille comme une lourde tenture de velours. Il me fallut plusieurs minutes pour parvenir jusqu'au point de l'accident. Le conducteur avait été éjecté et sans doute écrasé par son véhicule. Il gisait dans l'herbe, inconscient, ses jambes et ses bras agités par quelques faibles contractions nerveuses. Je m'assis près de lui, sur le bas-côté. C'était la seule chose que je pouvais faire. Rester là et le regarder mourir parmi ses frères les criquets et les taupins. Je pris sa main dans la mienne jusqu'à ce que ses membres ne tressaillent plus et que sa respiration cesse. Autour de nous, dans l'air, les insectes dansaient, et le soir s'emplissait du chant des grillons. Quand tout fut fini, je couvris l'homme d'un vieux sac d'engrais que je trouvai sur le plancher de la camionnette. Les feux arrière de l'engin étaient toujours allumés. Je me remis à marcher dans la nuit, laissant les yeux rouges veiller sur le mort.

LA VIE EST UN SPORT INDIVIDUEL

Si l'on m'en avait laissé le temps, je crois que j'aurais pu vivre pendant des siècles. J'avais déjà acquis une bonne pratique de l'existence, quand tout s'est terminé.

On ne m'enlèvera pas de l'idée que la vie est un sport individuel qui demande, pour en maîtriser les subtilités, une quarantaine d'années d'apprentissage. Quand on a perfectionné les techniques de base, respirer, fumer, marcher, négliger l'ambition et considérer que tout n'est que vanité et dérision, il devient possible d'accéder à l'excellence.

A quarante ans, je crois pouvoir l'affirmer, j'excellais à vivre. Je dosais la mélancolie autant que le bonheur, je les distillais à mon gré comme des aromates dans le menu de mon quotidien. Je maniais les doses avec aisance et précision tel un apothicaire expérimenté et scrupuleux. De surcroît, je possédais une maison en bois ouverte sur l'océan, une Volkswagen cabriolet 1969 dont j'avais refait le plancher, une tondeuse Brigg et Stratton à lanceur manuel, un téléviseur à commande à distance, un lit en cent soixante et six pizzas d'avance dans le congélateur. Le peu d'argent que je gagnais suffisait à faire avancer ce petit train de vie.

Et puis, un soir du mois de septembre, j'ai délaissé

tout cela. J'ai rangé ma voiture au garage, mis de l'ordre dans quelques papiers personnels, ouvert la fenêtre de ma chambre, éteint la lumière du corridor et refermé derrière moi la porte d'entrée. Je suis descendu sur la plage et, après avoir déposé sur le sable mon paquet de cigarettes presque intact, je me suis noyé.

Je croyais que, à mesure que j'avancerais dans l'eau de la nuit, je serais saisi par l'angoisse et la panique. Il en alla bien différemment. Je fus seulement parcouru par un long frisson quand le liquide pénétra dans mes oreilles. Pour le reste, je m'enfouis sous les vagues comme on se glisse sous un drap. Aujourd'hui, quand je repense à cette nuit-là, il m'arrive encore de m'étonner moi-même du calme et de la détermination qui présidèrent à mon suicide.

Comment en suis-je arrivé là? Disons que j'ai eu trois années difficiles. Trois années durant lesquelles j'ai dû affronter des ennuis de tout ordre. Plus que leur intensité, c'est leur fréquence qui m'accablait. Il ne se passait pas un jour, pas une nuit qui ne m'apportât sa modeste mais régulière livraison de soucis. Il ne manquait aucun chaînon à ma déchéance. Chaque matin, je descendais une marche, c'était inexorable. Je n'ai pas envie de parler en détail de cette période. Cela ne servirait à rien. Le passé ne peut être ni relu ni désinfecté.

Quelques faits subsistent cependant dans ma mémoire. Un épisode en particulier, pourtant burlesque quand j'y songe, me marqua profondément et influa sans doute sur ma décision finale. Je vivais à l'époque avec un chien et une femme. Elle s'appelait Mathilda, était grande, solidement charpentée et portait les cheveux très court. Son visage, d'une pâleur lisse, faisait penser à la surface d'un yoghourt. Elle parlait avec un accent allemand prononcé et ponctuait ses phrases de coups féroces portés sur le coin de la table. Mathilda était lourde et solide. Elle ressemblait à un meuble suédois. Son chien, pour être de proportions plus modestes, n'en demeurait pas moins impressionnant. Ses yeux rapprochés et clairs, ses oreilles taillées en pointe, sa queue toujours raidie lui conféraient une allure martiale. Il possédait aussi une langue démesurément grande. Quand il la laissait pendre hors de sa gueule, on aurait dit qu'il suçait un bras.

La femme et le chien avaient un point commun : ils ne pouvaient pas me sentir. Mathilda me couvrait de reproches du matin au soir, et Toby tentait de me mordre à la moindre occasion. Je ne me promenais jamais dans la maison sans ma batte de base-ball. Je ne me souviens plus très exactement de la manière dont ces deux-là étaient entrés dans ma vie, mais je m'étais accoutumé à les supporter et à déjouer leurs pièges. Jusqu'au jour où ils se liguèrent pour me chasser de chez moi.

D'abord, Mathilda me reprocha de n'être pas encore rasé à cinq heures de l'après-midi. Moi, d'ordinaire placide et sourd à ce type de remarque, je commis l'erreur de regimber. La conversation s'envenima et l'affaire tourna mal. Je dus parer quelques gifles et des coups portés avec le tranchant de la main. Mais Mathilda, supérieurement armée, dotée de jambes et de bras impressionnants, m'administra une retentissante raclée dont ma mémoire porte encore les cicatrices. Profitant de mon désarroi, Toby s'acharna à son tour sur moi et me mordit le mollet jusqu'au sang. Mes vêtements en lambeaux, couvert d'ecchymoses, je dus fuir ma propre maison et me réfugier dans le commissariat du quartier où ma déposition amusa le personnel de permanence. Et c'est escorté de deux policiers et d'un maître chien que je regagnai mon domicile. J'avais dû renoncer à ma dignité pour les convaincre de me raccompagner et de me débarrasser de Mathilda et du molosse. Ils conduisirent la fille dans un hôtel et l'animal à la fourrière. Je crus être tiré d'affaire. Mais, le lendemain matin, en me levant, je vis Mathilda et le chien, assis côte à côte, au bout de mon allée. Je commis la nouvelle erreur d'ouvrir la porte. Toby se rua vers moi avec la férocité et la vitesse d'un guépard. Je n'eus que le temps de me réfugier à l'intérieur. Cette intimidation dura trois jours. Ils étaient là, tous les deux, au bout du jardin, m'empêchant de sortir, me terrorisant en silence. Ma batte ne me quittait plus. Malgré mes appels insistants, la police refusa de m'apporter aide et protection. Je dus attendre, isolé, que la haine de mes anciens locataires retombât.

Un soir, je les entendis s'affairer autour de la maison. A travers les rideaux, je voyais leurs ombres aller et venir dans la nuit noire. Je craignais qu'ils ne fracturent la porte ou l'une des baies vitrées. Mais, vaincu par la fatigue, je m'endormis sur le canapé en serrant ma batte contre mon cœur.

Au matin, je découvris que non contents d'avoir détruit ma vie, ils avaient saccagé mon jardin avant de disparaître. La sale bête avait creusé de véritables tunnels dans la pelouse, tandis que Mathilda avait cisaillé les arbustes et les rosiers à la racine. La glycine, le chèvrefeuille, les lauriers, les hibiscus gisaient au sol comme des branches arrachées par la tempête. Ils avaient tout dévasté. Pour arriver à un tel résultat, il fallait vraiment que l'hyène et le fauve éprouvent bien de la haine à mon égard. Un peu plus tard, je m'aperçus que la façade de la rue était couverte d'inscriptions peintes à la bombe. La plus voyante proclamait : « Ici habite un frappeur de femme et un enculeur de chien. » Bien sûr, je n'étais rien de tout cela. J'avais des activités autrement modestes.

A cette époque, mon esprit n'était encombré que d'une préoccupation : le temps qui me restait à vivre.

Un second événement précipita ma décision d'en finir. Et une fois encore, ma déconvenue fut l'œuvre d'une femme. A cette époque, j'enseignais l'histoire, une semaine par mois, dans un collège privé où se retrouvait toute la jeunesse nantie de la ville. Mes étudiants considéraient cette matière comme un passe-temps d'amnésique. Une seule histoire leur importait, la leur, celle qui s'inscrivait entre la date de leur naissance et celle de leur mort. Et à cette mort, encore, ils ne semblaient pas croire. Leur dernière parole ressemblerait à cet ultime effarement de bourgeois : « J'ai trente mille livres de rente et je meurs ! »

J'avais dans ma classe une élève un peu moins stupide que les autres. Sa mère, qui chaque jour l'attendait dans un coupé allemand devant le collège, était de ces femmes qui vous enflamment au premier regard. Il m'arrivait souvent de fixer ses mains longues et sèches, ses doigts nerveux, aux ongles si rouges qu'on les aurait dits plongés dans le sang, lorsqu'elle patientait en pianotant sur son volant.

Un jour que je la croisais dans le hall du collège, elle m'adressa un sourire de ses lèvres vermillon et charnues. Elle portait un tailleur gris-bleu sur un chemisier blanc boutonné jusqu'au col, ses cheveux étaient tirés en catogan, ses jambes luisaient dans les bas noirs et

ses fines chaussures à talon arrachaient des applaudis-
sements scandés au carrelage.

Je passe sur les détails de notre rencontre. Toujours
est-il qu'un après-midi, cette femme et moi nous
retrouvâmes dans un hôtel fleuri de la périphérie. Je ne
connus jamais plus grand bonheur que dans cet endroit,
avec elle. Instantanément j'avais aimé son odeur, le pli
de ses bras, le goût de sa bouche, les nervures de son
dos, la moiteur de ses fesses, la force de ses cuisses, le
galbe de ses mollets. Oui, j'avais aimé cela dans tous
les sens, séparément et à la fois, comme une friandise
qui eût rassemblé tous les sucs de la flore.

Oui, cette journée-là aurait pu sans conteste être la
plus belle de ma vie. Mais au moment même où je
commençais à croire que le tourment lâchait enfin
prise, d'un geste lent, elle jeta la bride de son sac sur
son épaule et me dit : « Vous et moi devons considérer
cet après-midi comme un accident qui ne se reproduira
pas. J'espère que désormais, vous vous comporterez en
gentleman et que vous saurez rester à votre place. »

Ces mots, férocement explicites, me donnaient congé,
me renvoyaient à ma condition, parmi les miens. Elle
me passa la main dans les cheveux comme l'on flatte
un cocker avant sa séance de toilettage, ouvrit la porte
et disparut sans la refermer. Un instant, il me sembla
que les meubles se ruaient vers moi, que les draps se
nouaient autour de ma gorge et que des éclats de verre
se logeaient entre mes dents.

Oui, si l'on m'en avait laissé le temps, si j'avais été
épargné par les femmes, les chiens et parfois aussi les
hommes, ce sont des siècles que j'aurais pu vivre. J'ai
toujours eu besoin de distance pour m'exprimer, me
sentir en confiance, croire en quelque chose ou en quel-

qu'un. Ce n'était pas avec la poignée aléatoire de décennies que l'on m'octroyait que je pouvais espérer tenir ma place. Alors, aidé par quelques incidents, dans le fond salutaires, j'ai préféré quitter la partie avant son terme, et disparaître, cette fois, avant d'être chassé. Maintenant je suis mort, tout simplement. Je ne vous raconterai pas le processus de ma décomposition qui fut assez pénible bien que très reposant. Sachez simplement que cela se produit sans effort, que vous vous décharnez en dehors de toute volonté, que l'on sent très vite qu'il n'y a qu'à se laisser porter et emporter. Je n'ai pas, en revanche, le courage de vous décrire mon état actuel. Je vous dirai seulement que ma solitude est telle qu'il m'arrive parfois de me réjouir de la compagnie des vers.

A part cela, je ne regrette pas grand-chose de mon passé. Sauf peut-être ma maison, le bruit de la mer, le mois de septembre, ma tondeuse, mon téléviseur 625 lignes et ma voiture décapotable.

« Et comme vous n'avez pas vécu cela depuis longtemps, vous désirez, cette fois, faire durer cette sensation, cet instant éblouissant, cet air frais, cette vie nouvelle, afin d'en conserver le souvenir, car lorsqu'elle reviendra, il sera peut-être trop tard. Vous serez peut-être trop vieux. Et puis, bien sûr, vous ressentez peut-être cela pour la dernière fois. »

Richard FORD.

TABLE DES MATIÈRES

Compte rendu analytique
d'un sentiment désordonné
Fleuve noir, 1984

Éloge du gaucher
Robert Laffont, 1987

Tous les matins je me lève
Robert Laffont, 1988
et « Points » n° 118

Maria est morte
Robert Laffont, 1989
et « Points » n° 1486

Les poissons me regardent
Robert Laffont, 1990
et « Points » n° 854

Parfois je ris tout seul
Robert Laffont, 1992
et « Points » n° 1591

Une année sous silence
Robert Laffont, 1992
et « Points » n° 1379

Prends soin de moi
Robert Laffont, 1993
et « Points » n° 315

La vie me fait peur
Le Seuil, 1994
et « Points » n° 188

Kennedy et moi
Prix France Télévision
Le Seuil, 1996
et « Points » n° 409

L'Amérique m'inquiète
« Petite Bibliothèque de l'Olivier » n° 35, 1996

Je pense à autre chose
L'Olivier, 1997
et « Points » n° 583

Si ce livre pouvait me rapprocher de toi
L'Olivier, 1999
et « Points » n° 724

Jusque-là tout allait bien en Amérique
L'Olivier, 2002
et « Petite Bibliothèque de l'Olivier » n° 58

Une vie française
Prix Femina
L'Olivier, 2004
et « Points » n° 1378

Vous plaisantez, monsieur Tanner
L'Olivier, 2006

Hommes entre eux
L'Olivier, 2007

RÉALISATION : Graphic Hainaut
IMPRESSION : BRODARD ET TAUPIN À LA FLÈCHE
DÉPÔT LÉGAL : JUIN 2006. N° 87377-2. (40736)
IMPRIMÉ EN FRANCE

9/12.